Do contrato social
ou princípios do Direito Político

Dados Internacionais de Catalogação na Publicação (CIP)
(Câmara Brasileira do Livro, SP, Brasil)

Rousseau, Jean-Jacques, 1712-1778.
  Do contrato social ou princípios do Direito
Público / Jean-Jacques Rousseau ;
tradução de Maria Constança Peres Pissarra. –
Petrópolis, RJ : Vozes, 2017. – (Coleção Vozes de Bolso)

  Título original : Du contrat social

  1ª reimpressão, 2019.

  ISBN 978-85-326-5347-5

  1. Contrato social 2. Filosofia 3. Política
I. Título. II. Série.

16-07297   CDD-320.11

Índices para catálogo sistemático:
1. Contrato social : Ciência política   320.11

Jean-Jacques Rousseau

Do contrato social

ou princípios do Direto Político

Tradução de Maria Constança Peres Pissarra

Vozes de Bolso

Título original em francês: *Du contrat social*

© desta tradução:
1995, 2017, Editora Vozes Ltda.
Rua Frei Luís, 100
25689-900 Petrópolis, RJ
www.vozes.com.br
Brasil

Todos os direitos reservados. Nenhuma parte desta obra poderá ser reproduzida ou transmitida por qualquer forma e/ou quaisquer meios (eletrônico ou mecânico, incluindo fotocópia e gravação) ou arquivada em qualquer sistema ou banco de dados sem permissão escrita da editora.

CONSELHO EDITORIAL

Diretor
Gilberto Gonçalves Garcia

Editores
Aline dos Santos Carneiro
Edrian Josué Pasini
Marilac Loraine Oleniki
Welder Lancieri Marchini

Conselheiros
Francisco Morás
Ludovico Garmus
Teobaldo Heidemann
Volney J. Berkenbrock

Secretário executivo
João Batista Kreuch

Editoração: Gleisse Dias dos Reis Chies
Diagramação: Sheilandre Desenv. Gráfico
Revisão gráfica: Nilton Braz da Rocha / Nivaldo S. Menezes
Capa: visiva.com.br
Arte-finalização: Ygor Moretti
Ilustração de capa: ©Voronin76 | Shutterstock

ISBN 978-85-326-5347-5

Editado conforme o novo acordo ortográfico.

Este livro foi composto e impresso pela Editora Vozes Ltda.

Sumário

Nota da tradutora, 7

Do contrato social ou princípios do direito político, 9

Livro I (Ordenamento civil), 13

Livro II (A soberania), 33

Livro III (O governo), 63

Livro IV (A vontade geral), 109

Notas, 149

Nota da tradutora

O texto de Rousseau, utilizado para a tradução, encontra-se na edição das suas obras, dirigida por Bernard Gagnebin e Marcel Raymond: ROUSSEAU, J.-J. *Oeuvres complètes* – Bibliothèque de la Pléiade. 4 vol. Paris: Gallimard, 1959. Assim, será sempre identificada através da referência *Pléiade*, indicando a seguir o volume e a página. A edição original desse texto, conforme indicação dos próprios organizadores, foi a seguinte:

• *Du contrat social*: edição original de 1762, acrescentadas as correções da edição de 1782.

A grafia original foi respeitada, sempre que possível, mantendo também as iniciais maiúsculas no interior dos parágrafos. Todos os verbetes citados por Rousseau no DEP fazem parte da *Encyclopèdie ou Dictionnaire Raisonné des Sciences, des Arts et des Métiers, par une Société de Gens de Lettres*.

As notas ao longo do texto, indicadas por letras minúsculas, são do próprio autor; as que estão indicadas numericamente são notas da tradutora. A redação das notas apoiou-se principalmente nas anotações de comentadores de edições críticas das obras de Rousseau:

• C.E. Vaughan. Oxford: B. Blackwell, 1962.
• Maurice Halbwachs. Paris: Aubier, 1943.
• Robert Derathé. Paris: Gallimard, 1964.

- R. Masters. Princeton: Princeton University Press, 1968.
- Bertrand de Jouvenel. Paris: Le Livre de Poche, 1978.

Abreviações utilizadas

DEP – Discurso sobre a economia política

DSI – Discurso sobre a origem da desigualdade entre os homens

DSA – Discurso sobre as ciências e as artes

CS – Do contrato social

Do contrato social ou princípios do direito político

> *Foederis aequas Dicamus leges*
> Aeneid. XI[1]

Advertência

Este pequeno tratado[2] foi extraído de uma obra mais extensa, outrora iniciada sem que houvesse consultado minhas forças e há muito tempo abandonada. Dos vários trechos que se podiam extrair daquilo que foi feito, este é o mais importante, e pareceu-me o menos indigno para ser oferecido ao público. O resto não mais existe.

Livro I

Quero indagar se na ordem civil pode existir alguma regra de administração legítima e certa[3] tomando os homens tais como são e as leis tais como podem ser. Procurarei sempre aliar nessa indagação aquilo que o direito permite com o que o interesse prescreve, para que a justiça e a utilidade não se encontrem nunca divididas.

Entro na questão, sem provar a importância do meu assunto. Alguém me perguntará se sou príncipe ou legislador para escrever sobre a Política. Respondo que não, e que é por isso que escrevo sobre ela. Se fosse príncipe ou legislador, não perderia meu tempo, dizendo aquilo que deve ser feito: eu o faria, ou me calaria.

Tendo nascido cidadão de um Estado livre e membro do soberano[4], por mais fraca que seja a influência que minha voz possa ter nos negócios públicos, o direito de voto sobre eles é suficiente para me impor o dever de me instruir sobre isso. Todas as vezes que medito sobre os Governos fico feliz, porque sempre encontro nas minhas reflexões novos motivos para amar o do meu país!

Capítulo I – Assunto deste primeiro livro

O homem nasce livre[5] e por toda parte se encontra sob grilhões. Aquele que mais acredita ser o senhor dos outros não deixa de ser mais escravo do que eles. Como ocorreu essa mudança? Ignoro-o. O que pode torná-la legítima? Creio poder resolver essa questão.

Se considerasse somente a força e o efeito que dela deriva, diria que, quando um Povo é forçado a obedecer e obedece, faz bem; entretanto, quando pode sacudir o jugo e o sacode, faz ainda melhor, porque, recuperando sua liberdade pelo mesmo direito que lhe foi tirada, ou pode retomá-la, ou não podiam tê-la tirado. Mas, a ordem social é um direito sagrado[6] que serve de base a todos os outros. Esse direito, entretanto, não deriva absolutamente da natureza, está fundado sobre convenções. Trata-se de saber quais são essas convenções. Antes de chegar a esse ponto, é preciso esclarecer aquilo que acabo de adiantar.

Capítulo II – Das primeiras sociedades

A mais antiga de todas as sociedades e a única natural, é a família. Os filhos só permanecem ligados ao pai enquanto têm necessidade dele para sua manutenção. Quando essa necessidade cessa, a ligação natural se dissolve. Os filhos, isentos da obediência que devem ao pai e este isento das obrigações que tem para com os filhos, voltam igualmente à independência anterior. Se continuam unidos, não é mais naturalmente e sim voluntariamente, mantendo-se a família apenas por convenção[7].

Essa liberdade comum é uma consequência da natureza do homem. Sua primeira lei consiste em cuidar da sua própria conservação, suas primeiras preocupações dirigem-se a si mesmo, e quando atinge a idade da razão torna-se seu próprio senhor, uma vez que é o único juiz dos meios adequados para se conservar.

Pode-se dizer então que a família é o primeiro modelo das sociedades políticas: o chefe é a imagem do pai, o povo é a imagem dos filhos, e tendo todos nascido iguais e livres, só alienam sua liberdade em proveito próprio. A diferença toda está em que, na família, o amor do pai por seus filhos recompensa-o pelos cuidados que lhes dedica, enquanto que no Estado o prazer de comandar supera esse amor que o chefe não tem por seu povo.

Grotius nega que todo poder humano se estabeleça em favor daqueles que são governados, citando a escravidão como exemplo[8]. Sua forma mais constante de raciocinar é de sempre estabelecer o direito pelo fato[a]. Um método mais consequente poderia ser usado, mas não seria tão favorável aos Tiranos.

Segundo Grotius, então, é duvidoso se o gênero humano pertence a uma centena de homens, ou se estes pertencem ao gênero humano; e, ao longo de seu livro, parece que se inclina pela primeira opinião: é esta também a posição de Hobbes. Assim, temos a espécie humana dividida em rebanhos de animais, onde cada um tem seu chefe que o guarda para devorá-lo.

Da mesma forma que um pastor tem natureza superior à de seu rebanho, os pastores de homens, que são seus chefes, também são de natureza superior à de seus povos. Assim raciocinava Calígula, segundo o relato de Fílon[10], concluindo facilmente por meio dessa analogia que os reis eram Deuses, ou que os povos eram animais.

O raciocínio de Calígula conduz ao de Hobbes e ao de Grotius. Antes deles, também Aristóteles[11] afirmou que os homens não são em absoluto naturalmente iguais, sendo que uns nascem para a escravidão e outros para dominar.

Aristóteles tinha razão, mas tomava o efeito pela causa. Todo homem nascido na escravidão nasce para a escravidão, nada é mais certo. Os escravos tudo perdem sob seus grilhões, inclusive o desejo de se livrarem deles; amam seu cativeiro como os companheiros de Ulisses amavam seu embrutecimento[b]. Se há então escravos por natureza, é porque houve escravos contra a natureza. A força fez os primeiros escravos, seu conformismo perpetuou-os.

Nada afirmei sobre o rei Adão nem sobre o imperador Noé, pai dos três grandes Monarcas que dividiram entre si o universo, como fizeram os filhos de Saturno, e que alguns acreditaram reconhecer[12]. Espero que me sejam gratos por essa moderação, uma vez que, descendendo diretamente de um desses Príncipes, e talvez do tronco mais antigo, quem sabe se pela verificação dos títulos não chegaria à conclusão de ser eu o legítimo rei do gênero humano? Seja como for, não se pode discordar que Adão tenha sido Soberano do mundo, como Robinson foi de sua ilha, uma vez que era seu único habitante; e o que havia de cômodo nesse império era que o monarca, estando seguro no seu trono, não precisava temer nem rebeliões, nem guerras, nem conspiradores.

Capítulo III – Do direito do mais forte

O mais forte não é suficientemente forte para ser sempre o senhor, se não transforma sua força em direito e a obediência em dever. Constitui-se assim o direito do mais forte: direito tomado ironicamente em aparência e de fato estabelecido como princípio. Mas, nunca nos será explicada essa palavra? A força é um poder físico; não vejo que moralidade possa resultar de seus efeitos. Ceder à força é um ato de necessidade, não de vontade; no máximo, é um ato de prudência. Em que sentido poderá representar um dever?

Suponhamos por um momento esse pretenso direito. Afirmo que seu único resultado seria uma inexplicável grande confusão, pois quando a força faz o direito, o efeito muda com a causa; toda força que se sobrepõe à primeira, sucede-a em seu direito. Desde que se possa desobedecer impunemente, pode-se fazê-lo legitimamente, e uma vez que o mais forte tem sempre razão, trata-se então de procurar sempre ser o mais forte. Ora, o que é um direito que desaparece, quando cessa a força? Se é necessário obedecer pela força, não é preciso obedecer por dever, e se não se é mais forçado a obedecer, não se está mais obrigado a fazê-lo. Fica claro, então, que a palavra direito não acrescentou nada à força, não tendo aqui, qualquer significado.

Obedecei aos poderes. Se isso quer dizer cedei à força, o preceito é bom, mas supérfluo, e jamais será violado. Reconheço que todo o poder vem de Deus[13], mas também toda doença. Isso significa que é proibido chamar o médico? Se um assaltante me surpreende num canto de um bosque, é necessário entregar a bolsa; mas, se puder escondê-la, estarei em sã consciência obrigado a dá-la uma vez que o revólver que ele carrega também é um poder?

Convenhamos então que a força não estabelece o direito, e que só se está obrigado a obedecer aos poderes legítimos. Assim, está de volta minha pergunta inicial.

Capítulo IV – Da escravidão

Uma vez que nenhum homem tem autoridade natural sobre seu semelhante e que a força não gera nenhum direito, restam então as convenções[14], como base de toda autoridade legítima entre os homens.

Segundo Grotius, se um particular pode alienar[15] sua liberdade e se tornar escravo de um senhor, por que todo um povo não poderia fazê-lo e se tornar súdito de um rei? Nessa frase há várias palavras equívocas que necessitariam de explicação, mas detenhamo-nos em alienar. Alienar significa dar ou vender. Ora, um homem que se faz escravo de um outro não se dá, ele se vende – no mínimo por sua subsistência. Mas, e um povo, por que se venderia? Um rei está longe de fornecer aos seus súditos a subsistência, ao contrário, retira deles a sua; e segundo Rabelais[16], um rei não vive com pouco. Os súditos dão então sua vida com a condição de lhes tomarem também os seus bens? Não vejo o que lhes resta para conservar[17].

Alguns dirão que o déspota assegura a seus súditos a tranquilidade civil[18] – que seja. Mas que ganham eles com isso, se as guerras que sua ambição atrai sobre eles, se sua insaciável avidez, se as vexações de seu ministério os desolam mais do que suas dissensões? O que ganham com isso, se essa tranquilidade é uma de suas misérias? Também se vive tranquilo nas prisões; isso é suficiente para nos sentirmos bem dentro delas? Os Gregos viviam tranquilos, fechados no ventre de Ciclope, esperando que chegasse sua vez de serem devorados[19].

Afirmar que um homem se dá gratuitamente é dizer uma coisa absurda e inconcebível; tal ato é ilegítimo e nulo, por isso qualquer um que o pratique não está no seu juízo perfeito. Afirmar a mesma coisa de todo um povo é supor um povo de loucos: a loucura não estabelece direitos.

Mesmo que cada um pudesse alienar a si próprio, não poderia alienar seus filhos; esses nascem homens e livres, sua liberdade lhes pertence e ninguém pode dispor dela a não ser eles mesmos. Antes de atingirem a idade da razão, o pai pode, em nome deles, estipular as condições para sua conservação e seu bem-estar, mas não de forma irrevogável e incondicional, uma vez que tal atitude é contrária aos fins da natureza e ultrapassa os direitos da paternidade. Logo, para que um governo arbitrário fosse legítimo, seria necessário que a cada geração o povo fosse senhor de admiti-lo ou rejeitá-lo: mas dessa forma, esse governo não seria mais arbitrário[20].

Renunciar à sua liberdade é renunciar à sua condição de homem, aos direitos da humanidade, e até mesmo aos próprios deveres. Não é possível qualquer compensação para alguém que renuncie a tudo. Tal renúncia é incompatível com a natureza do homem, e destituir sua vontade de toda liberdade é o mesmo que destituir suas ações de toda moralidade. Enfim, trata-se de uma convenção vã e contraditória estipular, de um lado, uma autoridade absoluta, e, de outro, uma obediência sem limites. Não fica evidente que não se está absolutamente comprometido com aquele de quem se tem o direito de exigir tudo, e que essa única condição, sem equivalência, sem troca, acarreta a nulidade do ato? Pois que direito terá meu escravo contra mim, uma vez que tudo aquilo que ele tem me pertence, e que seu direito sendo o meu, esse meu direito contra mim mesmo é uma palavra sem nenhum sentido?

Grotius e outros autores[21] encontram na guerra outra origem para o pretenso direito de escravidão. Segundo eles, tendo o vencedor o direito de matar o vencido, este pode resgatar sua vida em troca de sua liberdade, convenção que é tanto mais legítima, porque resulta em benefício para ambas as partes.

É claro que esse pretenso direito de matar os vencidos, de modo algum resulta do estado de guerra. Os homens não são naturalmente inimigos[22], apenas pelo fato de não terem, na sua independência primitiva, uma relação tão constante capaz de constituir, quer o estado de paz, quer o estado de guerra. É a relação entre as coisas e não entre os homens que gera a guerra, e não podendo o estado de guerra nascer das simples relações pessoais, mas apenas das relações reais, não pode existir a guerra particular ou de homem a homem – nem no estado de natureza, onde não há propriedade constante, nem no estado social onde tudo é regulamentado pela autoridade das leis.

Os combates particulares, os duelos, os confrontos, são atos que não constituem absolutamente um Estado; e com relação às guerras privadas autorizadas pelas ordenações de Luís IX, rei de França[23], e suspensas pela Paz de Deus, trata-se de abusos do governo feudal, sistema absurdo que sempre foi contrário aos princípios do direito natural e a toda boa polícia[24].

A guerra, então, não representa de modo algum uma relação de homem a homem, mas uma relação de Estado a Estado, na qual os particulares só são inimigos acidentalmente – não como homens ou como cidadãos, mas como soldados – e nem como membros da pátria, mas como seus defensores. Enfim, cada Estado só pode ter outros Estados como inimigos e não homens, uma vez que não se pode estabelecer alguma relação verdadeira entre coisas de naturezas diversas[25].

Esse princípio está de acordo com as máximas estabelecidas em todos os tempos e com a prática constante de todos os povos policiados. As declarações de guerra são menos avisos às potências do que a seus súditos. O estrangeiro – quer seja rei, particular ou povo – que rouba, mata ou prende os súditos, sem declarar guerra ao príncipe, não é um inimigo e sim um bandido. Mesmo em plena guerra, um príncipe justo se apossa de tudo que é de domínio público no país inimigo, mas respeita a pessoa e os bens dos particulares; respeita aqueles direitos sobre os quais estão fundados os seus. Sendo a finalidade da guerra a destruição do Estado inimigo, tem-se direito de matar seus defensores desde que empunhem armas; mas tão logo as baixem e se rendam, deixando de ser inimigos ou instrumentos do inimigo, tornam-se simplesmente homens, e não temos mais direito sobre sua vida. Algumas vezes pode-se matar o Estado, sem matar um único de seus membros: ora, a guerra não concede nenhum direito que não seja necessário a seu fim. Estes não são os princípios de Grotius, não estão fundados na autoridade de poetas[26], mas derivam da natureza das coisas e estão fundados na razão.

Com relação ao direito de conquista não há outro fundamento, a não ser a lei do mais forte. Se a guerra jamais confere ao vencedor o direito de massacrar os povos vencidos, esse direito que ele não tem não pode fundamentar o de escravizá-los. Só se tem o direito de matar o inimigo, quando não se pode torná-lo escravo; daí, o direito de escravizá-lo não deriva do direito de matá-lo: trata-se, pois, de uma troca iníqua fazê-lo comprar, pelo preço da sua liberdade, sua vida, sobre a qual não se tem nenhum direito. Não está claro que, ao estabelecer o direito de vida e de morte sobre o direito de escravidão, e o direito de escravidão sobre o direito de vida e de morte, cai-se num círculo vicioso?

Mesmo supondo esse terrível direito de tudo matar, afirmo que alguém feito escravo pela guerra ou um povo conquistado não tem qualquer compromisso com seu senhor, a não ser obedecer-lhe enquanto for forçado a isso. Tomando algo como equivalente à sua vida, o vencedor não lhe fez qualquer favor: ao invés de matá-lo sem proveito, matou-o utilmente. Portanto, longe de ter adquirido sobre ele qualquer autoridade, além da força, o estado de guerra continua a subsistir entre eles como no passado, sendo a própria relação que estabelecem resultado dele, e o benefício do estado de guerra não supõe nenhum tratado de paz. Fizeram uma convenção – que seja; mas essa convenção, longe de destruir o estado de guerra, supõe sua continuidade.

Assim, qualquer que seja a forma de se encarar as coisas, o direito de escravidão é nulo, não somente porque é ilegítimo, mas porque é absurdo e não tem qualquer significado. Palavras como *escravidão* e *direito* são contraditórias, excluem-se mutuamente. Seja de um homem a um homem, seja de um homem a um povo, um discurso como este será sempre igualmente insensato: "*Faço contigo uma convenção toda em meu benefício e onde todos os encargos são teus, e que eu observarei, enquanto me aprouver, e que tu observarás, enquanto eu quiser*".

Capítulo V – De como sempre é necessário voltar a uma convenção anterior

Ainda que estivesse de acordo com tudo que refutei até agora, os defensores do despotismo não estariam em melhor condição. Haverá sempre uma grande diferença entre subjugar uma multidão e governar uma sociedade. Não vejo nada além de um senhor e escravos, e de forma alguma vejo um povo e seu chefe, quando homens dispersos, qualquer que seja o número, são sucessivamente submetidos a um único homem. Caso se queira, trata-se de uma agregação, mas não de uma associação[27]; não existe aí nem bem público nem corpo político. Mesmo que esse homem tenha subjugado a metade do mundo, não passa de um particular; seu interesse – separado do dos outros – é sempre um interesse privado. Se esse homem morre, seu império tornar-se-á esparso e sem ligação, como um carvalho que se desfaz em um monte de cinzas, depois que o fogo o consumiu.

Um povo, para Grotius, pode entregar-se a um rei[28]. Então, segundo Grotius, um povo é um povo antes de se entregar a um rei. Essa entrega é um ato civil, supõe uma deliberação pública. Antes de examinar o ato pelo qual um povo elege um rei, seria bom examinar o ato pelo qual um povo é um povo; pois, sendo esse ato anterior ao outro, é o verdadeiro fundamento da sociedade.

Se não houve de fato convenção anterior, em que se basearia a obrigação da minoria de se submeter à vontade da maioria – a não ser que a eleição fosse unânime – e como cem que querem um senhor têm o direito de votar por dez que absolutamente não o querem? A lei da plural idade dos sufrágios é em si mesma um estabelecimento de convenção e supõe a unanimidade pelo menos uma vez.

Capítulo VI – Do pacto social

Suponhamos que os homens chegaram a esse ponto, onde os obstáculos que atrapalham sua conservação no estado de natureza agem por meio de sua resistência sobre as forças que cada indivíduo pode empregar para se manter nesse estado. Então, esse estado primitivo não pode mais subsistir, e o gênero humano pereceria, se não mudasse sua maneira de ser.

Ora, como os homens não podem engendrar novas forças, mas apenas unir e dirigir as que já existem, não têm outra forma de se conservar, a não ser formar por agregação um somatório de forças que possa agir sobre a resistência, movido por um único interesse e agindo em conjunto[29].

Essa soma de forças só pode nascer da união de muitos: mas sendo a força e a liberdade de cada homem os primeiros instrumentos de sua conservação, como engajá-los, sem se prejudicar e sem negligenciar os benefícios que deve ter para consigo mesmo? Essa dificuldade diz respeito ao meu assunto, e pode ser enunciada nestes termos: "Encontrar uma forma de associação que defenda e proteja a pessoa e os bens de cada associado de toda a força comum, e pela qual cada um, unindo-se a todos, só obedeça a si mesmo, permanecendo tão livre quanto antes". Esse é o problema fundamental que o contrato social soluciona.

As cláusulas desse contrato são de tal forma determinadas pela natureza do ato, que a menor mudança as tornaria vãs e sem efeito, de modo que, mesmo sendo formalmente enunciadas, são as mesmas em toda parte tacitamente admitidas e reconhecidas por todos. Assim, sendo o pacto social violado, cada um voltaria aos seus primeiros direitos e retomaria sua liberdade natural, perdendo a liberdade convencional pela qual tinha renunciado a eles.

Todas essas cláusulas se reduzem claramente a uma, a saber, a total alienação[30] de cada associado com todos os seus direitos, a toda a comunidade: primeiramente, dando-se cada um por inteiro, a condição é igual para todos, e sendo a condição igual para todos, ninguém terá interesse em torná-la onerosa aos outros.

Além disso, sendo a alienação feita sem reservas, a união é a mais perfeita possível, não tendo nenhum associado mais nada a reclamar: se restasse qualquer direito aos particulares, subsistiria o estado de natureza e a associação tornar-se-ia necessariamente tirânica ou vã, uma vez que não existiria nenhum superior comum que pudesse pronunciar-se, entre eles e o público, e sendo cada um em alguma questão seu próprio juiz, logo pretenderia sê-lo em todas.

Enfim, dando-se cada um a todos, não se dá a ninguém, e como não haverá nenhum associado sobre o qual não se adquira o mesmo direito que se cedeu, ganha-se o equivalente a tudo que se perde e mais força para se conservar aquilo que se tem.

Se, afinal, retira-se do pacto social aquilo que não pertence à sua essência, veremos que ele se reduz aos seguintes termos: *cada um põe em comum sua pessoa e todo seu poder sob a suprema direção da vontade geral*[31]*; e enquanto corpo, recebe-se cada membro como parte indivisível do todo.*

Imediatamente, esse ato de associação produz, no lugar da pessoa particular de cada contratante, um corpo moral e coletivo, composto de tantos membros quantas vozes tenha a assembleia, que recebe desse mesmo ato sua unidade, seu *eu* comum, sua vida e sua vontade. Essa pessoa pública, que se forma assim pela união de todas as outras, antigamente tinha o nome de *Cidade*[c] e hoje o de *República*, ou de corpo político, que, quando é passivo, é chamado por seus membros de *Estado*, quando é ativo de *Soberano*, e, quando em comparação com seus pares, de *Potência*. Quanto aos associados, tomam coletivamente o nome de povo e particularmente chamam-se *Cidadãos*, quando participantes da autoridade soberana, e *Súditos*, quando submetidos às leis do Estado[33]. Mas, esses termos são frequentemente confundidos, tomando-se um pelo outro; é necessário saber distingui-los, quando são empregados em toda a sua precisão.

Capítulo VII – Do soberano

Por meio dessa reflexão fica claro que o ato de associação compreende um engajamento recíproco do público com os particulares, e que cada indivíduo – por assim dizer, contratante consigo mesmo – encontra-se engajado sob uma dupla relação, a saber, como membro do Soberano, em relação aos particulares, e como membro do Estado, em relação ao Soberano. Mas não se pode aplicar nesse caso a máxima do direito civil, segundo a qual ninguém está obrigado aos acordos que fez consigo mesmo, uma vez que é bem diferente obrigar-se em relação a si próprio, ou em relação ao todo do qual se faz parte.

Ainda é importante salientar que a deliberação pública que pode obrigar todos os súditos em relação ao Soberano, em função das duas diferentes relações, segundo as quais cada um deles é encarado, pelo motivo oposto, não pode obrigar o Soberano consigo mesmo, e consequentemente é contra a natureza do corpo político que o Soberano imponha-se uma lei que ele não possa rejeitar. Só podendo se considerar sob uma única e mesma relação, encontra-se então no mesmo caso de um particular, contratando consigo mesmo: de onde se conclui que não há nem pode haver espécie alguma de lei fundamental obrigatória para o corpo do povo, nem mesmo o contrato social[34]. Isso não significa que esse corpo não possa plenamente engajar-se com outro naquilo que não seja contrário a esse contrato, pois em relação ao estrangeiro torna-se um ser simples, um indivíduo[35].

Mas, existindo o corpo político ou o Soberano apenas pela integridade do contrato, não pode absolutamente obrigar-se a nada que se oponha a esse ato primitivo, mesmo que em relação a outrem, tal como alienar uma parte de si mesmo ou se submeter a um outro Soberano. Violar o ato pelo qual existe seria anular-se, e, aquilo que não é nada, não produz nada.

Uma vez que essa multidão está assim reunida em um corpo, não se pode atacar um de seus membros sem atacar o corpo; menos ainda ofender o corpo, sem que os membros se ressintam. Assim, o dever e o interesse obrigam igualmente as duas partes contratantes a se ajudarem mutuamente, e os mesmos homens devem procurar reunir sob essa dupla relação todas as vantagens que dependem dela.

Ora, sendo o Soberano formado apenas pelos particulares que o compõem, não pode ter nenhum interesse contrário ao deles; consequentemente, o poder Soberano não tem nenhuma necessidade de garantia em relação a seus súditos, porque é impossível que o corpo queira prejudicar a todos os seus membros, e, como veremos a seguir, não pode prejudicar a nenhum em particular. Apenas por ser o que é, o Soberano é sempre aquilo que deve ser.

Mas, o mesmo não ocorre com os súditos em relação ao Soberano, ao qual – apesar do interesse comum – ninguém responderia com seus compromissos, se não encontrasse meios de assegurar sua fidelidade.

De fato, cada indivíduo pode, como homem, ter uma vontade particular contrária ou dissonante da vontade geral, que tem como Cidadão. Seu interesse particular pode ser totalmente diferenciado do interesse comum; sua existência absoluta e naturalmente independente pode levá-lo a considerar aquilo que deve à causa comum como uma contribuição gratuita, cuja perda será menos prejudicial aos outros do que o cumprimento seria oneroso para si, e ao considerar a pessoa moral que constitui o Estado como um ser de razão, já que não é um homem, desfrutará os direitos do cidadão, sem querer preencher os de súdito: a continuidade dessa injustiça causaria a ruína do corpo político.

Para que então o pacto social não seja um acordo vão, está compreendido nele, mesmo de forma tácita, esse engajamento que sozinho pode dar força aos outros, de forma que quem recusar obedecer à vontade geral será obrigado[36] a isso por todo o corpo: o que não significa outra coisa a não ser que será forçado a ser livre, uma vez que essa é condição que cada Cidadão dá à Pátria e que o garante de toda a dependência pessoal. Condição essa que faz o artifício e o jogo da máquina política, e a única que torna legítimos os compromissos civis que sem ela seriam absurdos, tirânicos e sujeitos aos maiores abusos.

Capítulo VIII – Do estado civil

Essa passagem do estado de natureza ao estado civil produz no homem uma mudança muito significativa, ao substituir na sua conduta o instinto pela justiça, e dando às suas ações a moralidade que antes lhes faltava[37]. Só agora, quando a voz do dever sucede ao impulso físico e o direito ao apetite, é que o homem, que até então só havia olhado para si mesmo, vê-se forçado a agir baseado em outros princípios e a consultar sua razão antes de ouvir suas inclinações. Mesmo que nesse estado se prive de várias vantagens que usufruía na natureza, ganha outras maiores: suas faculdades se exercitam e se desenvolvem, suas ideias se ampliam, seus sentimentos se enobrecem, toda a sua alma se eleva a tal ponto que, se os abusos dessa nova condição não o degradassem frequentemente a uma condição inferior àquela donde saiu, deveria bendizer sem cessar o instante feliz que o arrancou de lá para sempre, e que transformou um animal estúpido e limitado em um ser inteligente e um homem.

Vamos reduzir todo esse balanço a termos fáceis de comparação. O que o homem perde através do contrato social é sua liberdade natural e um direito ilimitado a tudo que o tenta e que pode alcançar; o que ganha, é a liberdade civil e a propriedade de tudo o que possui. Para que não haja engano nessas compensações é necessário distinguir a liberdade natural, que só tem como limites as forças do indivíduo, da liberdade civil, que é limitada pela vontade geral, e a posse, que nada mais é que a força ou o direito do primeiro ocupante, da propriedade que só pode estar fundada num título positivo.

Com relação a isso que foi dito, é possível acrescentar a liberdade moral à aquisição do estado civil, a única que torna de fato o homem senhor de si mesmo, uma vez que apenas o impulso do puro apetite significa escravidão, e a obediência à lei que se prescreveu significa *liberdade*[38]. Mas já falei muito sobre esse tópico, e o significado filosófico da palavra liberdade, neste ponto, não faz parte do meu assunto.

Capítulo IX – Do domínio real[39]

Cada membro da comunidade dá-se a ela, quando da sua formação, tal como se encontra naquele momento, ele e todas as suas forças, das quais os bens que possui fazem parte[40]. O que não quer dizer que por esse ato a posse mude de natureza, ao mudar de mãos, tornando-se propriedade nas do Soberano. Mas como as forças da Cidade são incomparavelmente maiores do que as de um particular, também a posse pública é mais forte e mais irrevogável, sem ser mais legítima, ao menos para os estrangeiros. Isso ocorre, porque o Estado, pelo contrato social, que serve de base a todos os direitos, é senhor dos bens de todos os seus membros, mas perante as outras Potências só é senhor daqueles bens pelo direito do primeiro ocupante, que lhe foi dado pelos particulares.

O direito do primeiro ocupante, mesmo que mais real que o do mais forte, só se torna um verdadeiro direito depois do estabelecimento do direito de propriedade[41]. Todo homem tem naturalmente direito a tudo que lhe é necessário; mas o ato positivo que o torna proprietário de qualquer bem o exclui de todo o resto. De posse de sua parte, deve limitar-se a ela, não tendo mais nenhum direito ao que era comum. Eis porque o direito do primeiro ocupante, tão fraco no estado de natureza, é respeitável por todo homem civil. Por esse direito respeita-se mais o que é dos outros do que o que é seu.

Em geral, são necessárias as seguintes condições para autorizar o direito do primeiro ocupante sobre qualquer terreno: primeira, que esse terreno ainda não esteja habitado por ninguém; segunda, que só se ocupe a quantidade de que se necessita para sobreviver; terceira, que não se tome posse dele através de uma cerimônia vã, mas pelo trabalho e pela cultura da terra, único sinal de propriedade que, na falta dos títulos jurídicos, deve ser respeitado por alguém.

Atribuir à necessidade e ao trabalho o direito do primeiro ocupante não é de fato compreendê-lo na totalidade da sua significação? Pode-se dar limites a esse direito? Será suficiente colocar o pé sobre um terreno comum para que se pretenda em seguida ser seu dono? Será suficiente ter por um momento a força de afastar os outros homens para tirar-lhes o direito de nunca mais aí voltarem? Como um homem ou um povo pode apossar-se de um imenso território e privar todo o gênero humano de desfrutá-lo, a não ser pela usurpação condenável, uma vez que priva todo o restante dos homens do abrigo e dos alimentos que a natureza lhes dá em comum? Quando Nuñez Balboa[42] em nome da coroa de Castela tomou posse do mar do sul e de toda a América Meridional, a partir de um riacho, isso foi suficiente para que daí expulsasse todos os seus habitantes e afastasse todos os Príncipes do mundo? Apoiadas em bases tão frágeis, tais cerimônias se multiplicavam inutilmente, e bastaria ao rei católico do seu próprio gabinete tomar posse de todo o universo de uma só vez, mesmo que tivesse que excluir, do seu império a seguir, aquilo que antes pertencia a outros Príncipes.

Pode-se compreender como as terras reunidas e contíguas dos particulares tornaram-se território público, e como o direito de soberania, estendendo-se dos indivíduos ao terreno que ocupam, torna-se, a um só tempo, real e pessoal, o que coloca os proprietários numa grande dependência, fazendo de suas próprias forças as garantias de sua fidelidade[43]. Essa vantagem parece não ter sido bem compreendida pelos antigos monarcas, que, ao se aclamarem Reis dos Persas, dos Citas, dos Macedônios, parecia que mais se consideravam como chefes dos homens do que como senhores dos países. Os de hoje chamam-se mais habilmente Reis da França, da Espanha, da Inglaterra etc.; dominando dessa forma o território, estão mais seguros de possuir os habitantes.

O que há de singular nessa alienação é que a comunidade, longe de despojar os particulares de seus bens, ao aceitá-los, nada mais faz do que assegurar sua posse legítima, transformando a usurpação em um direito verdadeiro, e o uso, em propriedade. Então, passando os contratantes a serem considerados depositários do bem público, tendo seus direitos respeitados por todos os membros do Estado e garantidos por suas forças contra tudo que lhe é exterior, ao cederem de forma vantajosa ao todo e principalmente a si mesmos, adquirem tudo o que deram. Paradoxo que é facilmente explicável pela distinção de direitos que o Soberano e o proprietário têm sobre a mesma coisa, como se verá a seguir[44].

Pode acontecer também que os homens, começando a se unir antes de possuírem alguma coisa, e, deparando-se em seguida com um terreno suficiente para todos, passassem a desfrutá-lo em comum, ou o dividissem entre si, seja em partes iguais, seja em partes estabelecidas pelo Soberano. Qualquer que seja a forma pela qual se faça essa aquisição, o direito que cada particular tem sobre seu próprio bem está sempre subordinado ao direito que a comunidade tem sobre todos, sem o qual não haveria nem solidez na ligação social, nem força real no exercício da Soberania.

Terminarei este capítulo e este livro com uma observação que deve servir de base a todo o sistema social: o pacto fundamental, ao invés de destruir a igualdade natural, substitui a desigualdade física, que a natureza pode ter colocado entre os homens, por uma igualdade moral e legítima, e que, podendo ser desiguais na força ou na competência se tornem todos iguais por convenção e de direito[d].

Livro II

Capítulo I – Que a soberania é inalienável

A primeira e mais importante consequência dos princípios até aqui estabelecidos é que só a vontade geral pode dirigir as forças do Estado, segundo o objetivo de sua instituição, que é o bem comum, porque, se a oposição dos interesses particulares tornou necessário o estabelecimento das sociedades, é o acordo desses mesmos interesses que a tornou possível. É isso que existe de comum nos diferentes interesses que formam a união social, e se não houvesse algum ponto em que os interesses estivessem de acordo, nenhuma sociedade poderia existir. Ora, é unicamente sob esse interesse comum que a sociedade deve ser governada[46].

Afirmo então que, nada mais sendo a soberania que o exercício da vontade geral, não pode alienar-se, e que o soberano, que é apenas um ser coletivo, só pode ser representado por ele mesmo: o poder pode muito bem ser transmitido, mas não a vontade.

Se de fato não é impossível que uma vontade particular esteja de acordo em algum ponto com a vontade geral, ao menos é impossível que esse acordo seja durável e constante, uma vez que a vontade particular tende por natureza para suas preferências, e a vontade geral para a igualdade. Mais impossível ainda é que se tenha garantia desse acordo; embora sempre devesse existir, não seria um efeito da arte, mas do acaso. O Soberano pode muito bem dizer que quer atualmente aquilo que quer determinado homem, ou ao menos aquilo que ele diz querer, mas não pode dizer que quererá amanhã aquilo que ele quiser, uma vez que é absurdo que a vontade dê a si mesma amarras para o futuro, e porque não depende de nenhuma vontade consentir em algo contrário ao bem daquele que quer. Portanto, se o povo promete apenas obedecer, dissolve-se por esse ato, perde sua qualidade de povo; não mais existe o Soberano a partir do instante em que tem um senhor, e desde então destrói-se o corpo político[47].

Não é demais dizer que as ordens dos chefes podem passar por vontades gerais, se o Soberano, que é livre de se opor a elas, não o faz. Em tal caso, deve-se presumir o consentimento do povo a partir do silêncio universal. Isso será explicado mais à frente.

Capítulo II – Que a soberania é indivisível

A soberania é inalienável, pela mesma razão que é indivisível, uma vez que a vontade, ou é geral[e], ou não, ou é aquela do corpo do povo ou somente a de uma parte. No primeiro caso, essa vontade declarada é um ato de soberania e tem valor de lei. No segundo caso, não passa de uma vontade particular, ou de um ato de magistratura; no máximo, é um decreto.

No entanto, nossos políticos[48], não podendo dividir a soberania no seu princípio, dividem-na no seu objeto; dividem-na em força e em vontade, em poder legislativo e em poder executivo, em direitos de impostos, de justiça, e de guerra, em administração interna e em autonomia para tratar com o estrangeiro: tanto confundem essas partes quanto as separam; fazem do Soberano um ser fantástico e formado de peças sobrepostas; é como se compusessem o homem de vários corpos dos quais um teria os olhos, o outro o braço, o outro os pés, e nada mais. Dizem que os charlatães no Japão decepam uma criança sob os olhos dos espectadores e, jogando para o ar todos os seus membros, um após o outro, fazem a criança cair viva e recomposta. Assim são, mais ou menos, as mágicas de nossos políticos: depois de terem desmembrado o corpo social, por um milagre digno de demonstração pública, recompõem as peças, não se sabe como.

Esse erro acontece por falta de noções exatas sobre a autoridade soberana, e por se ter tomado por partes dessa autoridade aquilo que não passava de emanações[49]. Assim, por exemplo, considerou-se o ato de declarar guerra e aquele de fazer a paz como atos de soberania, o que não é real, uma vez que cada um desses atos não é absolutamente uma lei, mas somente uma aplicação da mesma, um ato particular que determina o caso da lei, como será visto claramente, quando for definida a ideia atribuída à palavra *lei*.

Continuando o exame pelas outras divisões, é possível perceber que nos enganamos todas as vezes que se pensa que a soberania está dividida, que os direitos que se tomam pelas partes dessa soberania lhe estão todos subordinados, e supõem sempre verdades supremas que apenas são executadas por esses direitos.

Não é possível dizer quanto essa falta de exatidão tornou obscuras as decisões dos autores em matéria de direito político, quando quiseram julgar direitos relativos aos reis e aos povos, de acordo com os princípios que estabeleceram. Todos podem ver, nos capítulos II e IV do primeiro livro de Grotius, como esse sábio homem e seu tradutor Barbeyrac se confundem, se embaraçam em seus sofismas, preocupando-se em falar em demasia sobre o assunto, ou em não dizer o suficiente, de acordo com suas perspectivas e de colocar em choque os interesses que querem conciliar. Grotius, que estava refugiado na França, descontente com sua pátria, e, querendo agradar a Luís XIII, a quem seu livro é dedicado, não tem grande dificuldade para despojar os povos de todos os seus direitos para com eles revestir os reis com toda a arte possível. Foi exatamente essa a intenção de Barbeyrac, que dedicou sua tradução ao rei da Inglaterra, George I. Mas, infelizmente, a expulsão de Jaime II, que ele chama de abdicação, forçou-o a manter-se reservado, a falsear, a tergiversar para não fazer de Guilherme um usurpador[50]. Se esses dois escritores tivessem adotado os verdadeiros princípios, todas as dificuldades teriam sido superadas e se manteriam coerentes; mas, dessa forma, teriam dito simplesmente a verdade e teriam cortejado apenas o povo. Ora, a verdade não conduz à riqueza e o povo não oferece nem embaixadas, nem cátedras, nem pensões.

Capítulo III – Se a vontade geral pode errar

A partir dessa reflexão pode-se afirmar que a vontade geral está sempre certa e tende sempre à utilidade pública; mas não se pode dizer que as deliberações do povo tenham sempre a mesma retidão. Sempre se deseja o próprio bem, mas nem sempre ele é encontrado: nunca se corrompe o povo, mas frequentemente este é enganado, e somente então ele parece querer o mal.

Há muita diferença entre a vontade de todos e a vontade geral; esta olha apenas o interesse comum, a outra olha o interesse privado e é só uma soma de vontades particulares; mas ao retirar dessas vontades os mais e os menos que aí se introduzem[f], a soma das diferenças é a vontade geral[51].

Quando o povo, suficientemente informado, delibera, se os Cidadãos não tiverem nenhuma comunicação entre si, da variedade de pequenas diferenças resultaria sempre a vontade geral, e todas as vezes a deliberação seria boa. Mas, quando se fazem intrigas, associações parciais às expensas do todo, a vontade de cada uma dessas associações torna-se geral em relação a seus membros, e particular em relação ao Estado; pode-se dizer, então, que não há tantos votantes quantos são os homens, mas somente tantos quantas são as associações. As diferenças tornam-se menos numerosas e geram um resultado menos geral. Finalmente, quando uma dessas associações é tão grande que se sobrepõe a todas as outras, não tereis como resultado uma soma de pequenas diferenças, mas uma diferença única; então, não há mais vontade geral e a opinião que domina é particular.

Para que a vontade geral possa manifestar-se plenamente, é preciso que não haja sociedade parcial no Estado e que cada Cidadão só opine depois daquela[g]. Essa foi a única e sublime instituição do grande Licurgo. Se há sociedades parciais é preciso multiplicar o número e prevenir a desigualdade, como fizeram Sólon, Numa e Servius[53]. Essas são as únicas boas precauções para que a vontade geral seja sempre esclarecida e que o povo nunca se engane.

Capítulo IV – Os limites do poder soberano

Se o Estado ou a Cidade nada mais é que uma pessoa moral, cuja vida consiste na união de seus membros, e se a mais importante de suas preocupações diz respeito a sua própria conservação, é necessária uma força universal e compulsiva para mover e dispor cada parte da maneira mais conveniente para o todo. Como a natureza dá a cada homem um poder absoluto sobre todos os seus membros, o pacto social dá ao corpo político um poder absoluto sobre todos os seus, e, como já afirmei, é esse mesmo poder que, dirigido pela vontade geral, recebe o nome de soberania[54].

Mas, além da pessoa pública, é preciso considerar as pessoas privadas que a compõem e cuja vida e liberdade são naturalmente independentes dela. Trata-se, portanto, de distinguir de forma clara os direitos próprios dos Cidadãos e do Soberano[h] e os deveres que primeiro se preencheram na qualidade de súditos, do direito natural, do qual se deve gozar na qualidade de homens.

Tudo que cada um aliena de seu poder, de seus bens, de sua liberdade, pelo pacto social, deve somente corresponder àquilo cujo uso importa à comunidade, mas é necessário convir que só o Soberano é o juiz dessa importância.

Todos os serviços que um cidadão pode fazer ao Estado devem ser feitos quando o Soberano os solicita; mas o Soberano, por sua vez, não pode encarregar os súditos de alguma tarefa inútil à comunidade, nem mesmo desejá-la: pois se nada se faz sem motivo sob a lei da razão, menos ainda sob a lei da natureza.

As ligações que nos unem ao corpo social só são obrigatórias, porque são mútuas e é tal sua natureza que, ao preenchê-las, não se pode trabalhar para outrem sem trabalhar também para si. Por que seria a vontade geral sempre reta, e por que todos quereriam sempre a felicidade de cada um, a não ser porque não há ninguém que se aproprie da palavra cada um, e que não pense em si mesmo, ao votar por todos? O que prova que a igualdade de direito e a noção de justiça que ela produz deriva da preferência que cada um se dá, e, consequentemente, da natureza do homem, que a vontade geral, para ser de fato geral, deve sê-lo tanto no seu objeto quanto na sua essência, que deve partir de todos para se aplicar a todos, e que perde sua retidão natural, quando tende a qualquer objetivo individual e determinado, porque, ao julgarmos aquilo que nos é estranho, não temos nenhum verdadeiro princípio de equidade que nos guie.

Com efeito, sempre que se trata de um fato ou de um direito particular sobre um ponto que não foi regulado por uma convenção geral e anterior, o assunto torna-se contencioso. Trata-se de um processo onde os particulares interessados são uma das partes e o público a outra, mas onde não vejo nem a lei, que é necessário seguir, nem o juiz, que deve pronunciar-se a respeito. Seria ridículo, então, querer reportar-se a uma decisão expressa da vontade geral, que só pode ser a conclusão de uma das partes e que, consequentemente, é para a outra uma vontade exterior, particular, incorrendo dessa forma em injustiça e sujeita a erro. Assim, da mesma forma que uma vontade particular não pode representar a vontade geral, a vontade geral, por sua vez, muda de natureza, tendo um objeto particular, e, como geral, não pode pronunciar-se nem sobre um homem nem sobre um fato. Por exemplo, quando o povo de Atenas nomeava ou cassava seus chefes, atribuía honras a um, impunha penas a outro, e através de vários decretos particulares exercia indistintamente todos os atos de Governo, o povo não tinha então mais vontade geral propriamente dita; não agia mais como Soberano, mas como magistrado[55]. Isso pode parecer contrário às ideias que comumente se encontra a respeito, mas é necessário que me deixem expor as minhas.

Nesse sentido, deve-se compreender que aquilo que generaliza a vontade é menos o número de vozes manifestas que o interesse comum que as une: nessa instituição cada um se submete necessariamente às condições que impõe aos outros; acordo admirável do interesse e da justiça que dá às deliberações comuns um caráter de equidade, que se dissipa na discussão de todo problema particular, resultado de um interesse comum que una e identifique a posição do juiz com a da parte.

Por qualquer via que se remonte ao princípio, chega-se sempre à mesma conclusão, a saber, que o pacto social estabelece entre os cidadãos uma tal igualdade que todos se engajam sob as mesmas condições, devendo usufruir dos mesmos direitos. Assim, pela natureza do pacto, todo ato de soberania, ou seja, todo ato autêntico da vontade geral, obriga ou favorece igualmente todos os Cidadãos, de tal forma que o Soberano conhece somente o corpo da nação e não distingue nenhum daqueles que a compõem. Então o que caracteriza propriamente um ato de soberania? Não é uma convenção do superior com o inferior, mas uma convenção do corpo com cada um de seus membros: convenção legítima, porque tem por base o contrato social; equitativa, porque é comum a todos; útil, porque não pode ter outro objetivo, a não ser o bem geral; e sólida porque tem por garantia a força pública e o poder supremo. Os súditos, enquanto submetidos apenas às convenções, não obedecem a ninguém, mas somente à sua vontade própria; e perguntar até onde vão os respectivos direitos do Soberano e dos Cidadãos é o mesmo que perguntar até que ponto podem engajar-se consigo mesmos, cada um em relação a todos e todos em relação a cada um.

Assim, fica claro que o poder Soberano, por mais que seja totalmente absoluto, sagrado e inviolável, não ultrapassa nem pode ultrapassar os limites das convenções gerais, e que todo homem pode dispor plenamente dos seus bens e da sua liberdade naquilo que foi estipulado por essas convenções; de modo que o Soberano nunca tem direito de sobrecarregar mais um súdito que o outro, uma vez que seu poder não é mais competente, quando o assunto se torna particular.

Uma vez admitidas essas diferenças, soa de maneira falsa que haja no contrato social, por parte dos particulares, uma verdadeira renúncia, já que por causa desse contrato sua situação se torna realmente preferível à que existia antes, e que, ao invés de uma alienação, só fizeram uma troca vantajosa de maneira de ser incerta e precária por outra melhor e mais segura, da independência natural, pela liberdade, do poder de nutrir a outrem, pela sua própria segurança, e de sua força que outros poderiam dominar, por um direito que a união social torna invencível. A própria vida, que foi devotada ao Estado, está continuamente protegida por ele, e, quando expõem os seus membros para defendê-lo, que fazem eles senão restituir-lhe aquilo que receberam dele? Que fazem eles que não fariam mais frequentemente e com maior perigo no estado de natureza, quando, participando de combates intermináveis, defendiam com perigo de vida aquilo que era necessário para sua conservação? É verdade que todos deverão lutar pela pátria, quando for necessário, mas, por outro lado, jamais alguém precisará combater para defender-se. Não se ganha mais, correndo algum risco, por aquilo que garante nossa segurança, do que defendendo-nos a nós mesmos, enquanto ela nos é retirada.

Capítulo V – Do direito da vida e da morte

Pode-se perguntar como os particulares, não tendo direito de dispor de sua própria vida, podem transmitir ao Soberano esse mesmo direito que não têm? Essa questão só parece difícil de resolver, por estar malcolocada. Todo homem tem direito de arriscar sua própria vida para conservá-la. Alguma vez já se disse que aquele que salta por uma janela para se salvar de um incêndio comete suicídio?[56] Alguma vez imputou-se esse crime a alguém que tenha perecido em uma tempestade cujo perigo não ignorava ao embarcar?

O contrato social tem como fim a conservação dos contratantes. Quem quer os fins, quer também os meios, e esses meios são inseparáveis de alguns riscos, e até mesmo de algumas perdas. Quem quer conservar sua vida às expensas dos outros deve dá-la também por eles, quando for preciso. Ora, o Cidadão não é mais juiz do perigo ao qual a lei quer que ele se exponha, e quando o Príncipe lhe diz que é desejo do Estado que ele morra, ele deve morrer, uma vez que foi só por essa condição que viveu em segurança até agora, e que sua vida não é mais um mero favor da natureza, mas um dom condicional do Estado[57].

A pena de morte infligida aos criminosos pode ser mais ou menos considerada sob o mesmo ponto de vista: é para não ser vítima de um assassino, que se consente em morrer, caso se venha a ser um. Nesse tratado, longe de dispor de sua própria vida, só se sonha em garanti-la, e então não se pode presumir que algum dos contratantes premedite se fazer enforcar.

Além disso, todo malfeitor, atacando o direito social, torna-se rebelde por seus atos e traidor da pátria; deixa de ser seu membro, ao violar suas leis, colocando-se com ela em guerra. Então, a conservação do Estado é incompatível com a sua, sendo necessário que um dos dois pereça, e quando se faz morrer o culpado, é menos como Cidadão do que como inimigo. Os processos e o julgamento são as provas e a declaração do rompimento do tratado social e, consequentemente, de que não é mais membro do Estado. Ora, como se reconheceu como tal, ao menos por seu domicílio, deve ser penalizado com o exílio como infrator do pacto, ou com a morte, como inimigo público, pois tal inimigo, não sendo uma pessoa moral e sim um homem, o direito da guerra é de matar o vencido[58].

Mas, poder-se-á dizer que a condenação de um Criminoso é um ato particular. Estou de acordo; além disso, essa condenação não pertence mais ao Soberano: é um direito que pode conferir, sem que ele próprio possa exercê-lo. Todas as minhas ideias se relacionam, mas não saberia expô-las de uma vez.

De resto, a frequência de condenações é sempre um sinal de fraqueza ou de lentidão do Governo. Não há nenhum marginal que não possa servir para alguma coisa. A não ser aquele que não pode ser conservado sem que represente perigo, não se tem direito de matar alguém, mesmo que seja como exemplo.

O direito de anistiar ou de isentar um culpado da pena imposta pela lei e proferida pelo juiz, só pertence àquele que está acima da lei e do juiz, ou seja, ao Soberano; embora nesse caso seu direito ainda não esteja muito claro e sejam muito raros os casos em que pode usá-lo. Em um Estado bem governado há poucas punições, não porque se concedam muitas graças, mas porque há poucos criminosos: a multidão de crimes assegura a impunidade, quando o Estado enfraquece. Durante a República Romana, o Senado, ou os Cônsules, nunca concederam anistia, e nem mesmo o povo, embora algumas vezes revogasse seu próprio julgamento. As frequentes indulgências mostram que em breve os crimes não mais terão necessidade delas, e todos podem perceber aonde isto leva. Mas sinto que meu coração murmura e retém minha pena, deixemos que o homem justo que nunca falhou e que nunca precisou de indulgência, discuta essas questões.

Capítulo VI – Da lei

Pelo pacto social demos existência e vida ao corpo político; trata-se agora de lhe dar movimento e vontade através da legislação, pois o ato primitivo pelo qual o corpo se forma e se une não determina nada daquilo que deverá fazer para se conservar.

É pela natureza das coisas e independentemente das convenções humanas que algo está bem e em conformidade com a ordem. Toda justiça vem de Deus, que é sua única fonte; mas, se soubéssemos recebê-la do alto, não teríamos necessidade nem de governo, nem de leis. Sem dúvida, trata-se de uma justiça universal emanada apenas da razão, mas para que seja aceita entre nós deve ser recíproca. Do ponto de vista humano, as leis da justiça, em razão da ausência de sanção natural, tornam-se vãs para os homens; fazem apenas o bem do infrator e o mal do justo, quando este último as observa com todos, sem que ninguém as observe com ele. Logo, são necessárias convenções e leis para unir os direitos aos deveres e reconduzir a justiça ao seu objetivo. No estado de natureza, onde tudo é comum, não devo nada àqueles a quem não prometi nada, só reconheço como de outrem aquilo que me é inútil. As coisas não se passam assim no estado civil, onde todos os direitos são fixados pela lei[59].

Mas, afinal, o que é uma lei? Enquanto contentar a atribuição de ideias metafísicas, continua-se a raciocinar, sem se fazer entender e quando se disser o que é uma lei da natureza, uma lei de Estado, não será melhor definida.

Já afirmei[60] que de modo algum há vontade geral em relação a um objeto particular. De fato, esse objeto particular, ou está no Estado, ou fora dele: se está fora do Estado, uma vontade que lhe é estranha não é geral em relação a ele; e se esse objeto está no Estado, faz parte dele. Então, forma-se entre o todo e sua parte uma relação que constitui dois seres separados, do qual a parte é um, e o todo, menos essa mesma parte, é outro. Mas o todo menos uma parte não é mais o todo, e enquanto essa relação subsiste não há mais o todo, mas duas partes desiguais, de onde se segue que a vontade de uma não é mais geral do que a da outra.

Mas quando todo o povo legisla sobre todo o povo, só considera a si mesmo, e se por acaso se estabelece uma relação, é do objeto inteiro, sob um ponto de vista, com o objeto inteiro, sob outro ponto de vista, sem nenhuma divisão do todo. Então, a matéria sobre a qual se legisla é geral, da mesma forma que a vontade que legisla. É a esse ato que chamo lei.

Quando digo que o objeto das leis é sempre geral, entendo que a lei considera os súditos como um corpo e as ações como abstratas, nunca um homem como indivíduo ou uma ação particular. Assim, a lei pode muito bem estabelecer que haverá privilégios, mas não pode concedê-los nominalmente a ninguém; a lei pode estabelecer várias Classes de Cidadãos, até mesmo assinalar as qualidades que darão direito a essas classes, mas não pode nomear esse ou aquele para que seja admitido nelas; pode estabelecer um Governo real e uma sucessão hereditária, mas não pode eleger um rei ou nomear uma família real. Resumindo, toda função que diz respeito a um objeto individual não pertence ao poder legislativo.

Baseando-se nessa ideia, percebe-se que não mais é preciso perguntar a quem compete fazer as leis, uma vez que são atos da vontade geral; nem se o Príncipe[61] está acima das leis, uma vez que é membro do Estado; nem se a lei pode ser injusta, uma vez que ninguém é injusto consigo mesmo[62]; nem como se é livre e submetido às leis, uma vez que elas não passam de registros de nossas vontades.

Como a lei reúne a universalidade da vontade e do objeto, aquilo que um homem – quem quer que seja – ordena por sua própria conta, não é absolutamente uma lei. Mesmo aquilo que o Soberano ordena a respeito de um objeto particular não é uma lei, mas um decreto, nem mesmo é um ato de soberania, mas de magistratura.

Chamo então de República todo Estado regido por leis, qualquer que seja a forma de administração que possa existir, pois somente o interesse público governa, e a coisa pública é algo. Todo Governo legítimo é republicano[i]; explicarei mais à frente o que é Governo[63].

Na verdade, as leis são as condições da associação civil. O Povo submetido às leis deve ser o seu autor; só aos que se associam cabe reger as condições da sociedade. Mas como regulamentá-las? Em comum acordo, por meio de uma súbita inspiração? O corpo político tem um órgão para enunciar essas vontades? Quem lhe dará a previsão necessária para formar os atos e publicá-los antecipadamente, ou então, como os pronunciará no momento em que for necessário? Como uma multidão cega, que frequentemente não sabe o que quer, porque raramente sabe aquilo que lhe é bom, executará um empreendimento tão grande, tão difícil quanto um sistema de legislação? O povo, por si mesmo, sempre quer o bem, mas nem sempre o vê. A vontade geral é sempre reta, mas o julgamento que a guia nem sempre é esclarecido. É necessário fazer-lhe ver os objetos, tais como eles são, algumas vezes tais como lhe parecem, mostrar-lhe o caminho certo que procura, defendê-la da sedução das vontades particulares, trazer para perto de seus olhos os lugares e os tempos, balancear a atração das vantagens presentes e sensíveis com o perigo dos males distanciados e ocultos. Os particulares veem o bem que rejeitam: o público quer o bem que não vê. Todos têm igualmente necessidade de guias: a uns, é necessário obrigar a conformar suas vontades à razão; a outros, é necessário ensinar a conhecer aquilo que querem. Então, a união do entendimento e da vontade no corpo social resulta das luzes públicas; daí o perfeito acordo entre as partes, e finalmente a maior força do todo. Aí nasce a necessidade de um Legislador.

Capítulo VII – Do legislador

Para descobrir as melhores regras de sociedade que convêm às Nações seria necessário uma inteligência superior, que visse todas as paixões dos homens e não experimentasse nenhuma delas, que não tivesse nenhuma relação com nossa natureza e a conhecesse profundamente, cuja felicidade fosse independente de nós e que no entanto quisesse ocupar-se conosco; enfim, que no desenrolar dos tempos, ocupando-se de uma glória distante, pudesse trabalhar num século e usufruí-la no outro[j]. Seriam necessários Deuses para dar leis aos homens.

O mesmo raciocínio que Calígula fazia quanto ao fato, Platão fazia quanto ao direito para definir o homem civil ou real que ele procura no seu livro sobre o reino[64]. Mas, se é verdade que um grande Príncipe é um homem raro, o que se dirá de um grande Legislador? O primeiro apenas deve seguir o modelo que o outro deve propor. Este é o mecânico que inventa a máquina, aquele é somente o operário que a monta e a faz funcionar. Segundo Montesquieu[65], no nascimento das sociedades são os chefes das repúblicas que fazem a instituição, e, depois, é a instituição que forma os chefes das repúblicas.

Aquele que ousa empreender a instituição de um povo, deve sentir-se em condição de mudar, por assim dizer, a natureza humana; de transformar cada indivíduo que por si mesmo é um todo perfeito e solitário, em uma parte de um todo maior, do qual esse indivíduo recebe de alguma forma sua vida e seu ser; de alterar a constituição do homem para reforçá-la; de substituir, por uma existência parcial[66] e moral, a existência física e independente que todos nós recebemos da natureza. Em uma palavra, é necessário que destitua o homem de suas próprias forças para lhe dar outras que lhe são estranhas e das quais não pode fazer uso sem a ajuda de alguém. Quanto mais suas forças naturais estiverem mortas e enfraquecidas, mais as adquiridas serão grandes e duráveis, e mais sólida e perfeita a instituição. De modo que se cada Cidadão não é nada, e não pode nada, a não ser por meio dos outros, e que a força adquirida pelo todo é igual ou superior à soma das forças naturais de todos os indivíduos, pode-se dizer que a legislação está no mais alto ponto de perfeição que possa atingir[67].

Sob todos os aspectos, o Legislador é um homem extraordinário no Estado. Se deve sê-lo pelo gênio, não o é menos pela sua função. Não se trata de magistratura, menos ainda de soberania[68]. Essa função que constitui a república não faz parte do seu exercício: é uma função particular e superior que nada tem em comum com o império humano, pois, se aquele que comanda os homens não deve comandar as leis, aquele que comanda as leis não deve absolutamente comandar os homens; de outra forma, suas leis –instrumentos de suas paixões – frequentemente não fariam mais do que perpetuar suas injustiças, e não poderia nunca evitar que opiniões particulares alterassem a integridade de sua obra.

Quando Licurgo outorgou leis à sua pátria, começou por abdicar da sua Realeza[69]. Era costume da maior parte das cidades gregas confiar a estrangeiros o estabelecimento de suas leis. As Repúblicas modernas da Itália imitaram frequentemente esse uso; Genebra fez o mesmo e se deu bem[k]. Roma no seu período áureo viu renascer no seu seio todos os crimes da Tirania, e esteve prestes a perecer, por ter reunido sob as mesmas cabeças a autoridade legislativa e o poder soberano.

Entretanto, os próprios decênviros jamais aprovaram qualquer lei apenas com sua autoridade. *Nada do que vos propomos*, diziam ao povo, *pode tornar-se lei sem o vosso consentimento. Romanos, sede os próprios autores das leis que devem fazer vossa felicidade.*

Então, aquele que redige as leis não tem ou não deve ter nenhum direito legislativo, e o próprio povo não pode despojar-se, quando quiser, desse direito incomunicável, porque, segundo o pacto, só a vontade geral obriga os particulares, e só podemos assegurar-nos que uma vontade particular esteja conforme à vontade geral, depois de tê-la submetido aos sufrágios livres do povo: já me referi a isso, mas não é inútil repeti-lo.

Dessa forma, encontram-se ao mesmo tempo na obra da legislação dois elementos que parecem incompatíveis: um empreendimento acima das forças humanas, e, para executá-lo, uma autoridade que não é nada.

Outra dificuldade que merece atenção: os sábios que quisessem falar ao vulgo na sua própria linguagem e não na deles não seriam compreendidos, pois há mil tipos de ideias impossíveis de traduzir na linguagem do povo. As opiniões muito gerais e os objetos muito distantes também estão fora de sua compreensão; cada indivíduo, apreciando apenas o plano de governo que diz respeito ao seu interesse particular, dificilmente percebe as vantagens que deve retirar das contínuas privações que impõem as boas leis. Para que um povo ainda novo possa usufruir das máximas sadias da política e seguir as regras fundamentais da razão de Estado, seria necessário que o efeito pudesse tornar-se a causa, que o espírito social, que deve ser obra da instituição, presidisse à própria instituição, e que os homens fossem, antes das leis, aquilo que devem tornar-se, por meio delas. Assim, o Legislador, não podendo empregar nem a força nem a argumentação, precisa recorrer a uma autoridade de outra ordem, que possa obrigar sem violência e persuadir sem convencer.

Eis o que sempre obrigou os pais das nações a recorrer à intervenção do céu e honrar aos Deuses com sua própria sabedoria, para que os povos submetidos às leis do Estado, como às da natureza, e reconhecendo o mesmo poder na formação do homem e na da cidade, obedecessem com liberdade e suportassem docilmente o jugo da felicidade pública.

Essa razão sublime que escapa ao alcance dos homens vulgares é aquela cujas decisões o legislador coloca na boca dos imortais, a fim de obrigar pela autoridade divina aqueles que não poderia abalar pela prudência humana[1]. Mas, nem todos os homens podem fazer falar aos Deuses, ou ser acreditados, quando se anunciam como seus intérpretes. A grande alma do Legislador é o verdadeiro milagre que deve autenticar sua missão. Todo homem pode gravar tábuas de pedra ou comprar um oráculo, ou tentar uma relação secreta com qualquer divindade, ou ensinar um pássaro para falar-lhe ao ouvido, ou encontrar outros meios grosseiros para enganar o povo. Aquele que só souber fazer isso até poderá, por acaso, reunir um bando de insensatos, mas jamais poderá fundar um império e sua obra extravagante logo morrerá com ele. Os prestígios vãos formam um liame passageiro, só a sabedoria torna-o duradouro. A lei judaica sempre resistente, e a do filho de Ismael[71], que há dez séculos rege a metade do mundo, ainda hoje indicam os grandes homens que as ditaram; e enquanto a orgulhosa filosofia ou o cego espírito de partido só veem neles felizes impostores, o verdadeiro político admira nas suas instituições esse grande e poderoso gênio que preside às instituições duráveis.

De tudo isso, não é necessário concluir como Warburton[72], que a política e a religião têm entre nós um objeto comum, mas que na origem das nações uma serve de instrumento à outra.

Capítulo VIII – Do povo

Da mesma forma que o arquiteto antes de erguer um grande edifício observa e sonda o solo para saber se ele suportará o peso, também o legislador sábio não começa redigindo boas leis nelas mesmas, mas examinando antes se o povo a que se destinam está apto a recebê-las. É por essa razão que Platão se recusa a dar leis aos Árcades e aos Cirênios[73], por saber que esses dois povos eram ricos e não poderiam aceitar a igualdade: é por essa razão que vemos em Creta boas leis e maus homens, uma vez que Minos[74] disciplinou um povo pleno de vícios.

Inúmeras nações que brilharam sobre a Terra nunca tiveram boas leis, e mesmo aquelas que poderiam tê-las só as tiveram durante um breve espaço de tempo, ao longo de sua existência. Tanto quanto os homens, os Povos só são dóceis na sua juventude, tornando-se incorrigíveis quando envelhecem[75]; uma vez estabelecidos os costumes e os preconceitos enraizados, querer reformá-los é um empreendimento perigoso e vão; o povo não pode nem mesmo admitir que se ataque esses males para destruí-los, como certos doentes estúpidos e sem coragem que tremem com a presença do médico.

Isso não significa que da mesma forma que certas doenças transtornam a cabeça dos homens e apagam a lembrança do passado, não ocorra algumas vezes, ao longo da história dos Estados, períodos violentos onde as revoluções causam nos povos aquilo que certas crises causam nos indivíduos, fazendo com que o horror do passado substitua o esquecimento, e onde o Estado, envolto pelas guerras civis, como que renasce das suas cinzas e retoma o vigor da juventude escapando dos braços da morte. Assim aconteceu em Esparta à época de Licurgo, em Roma depois dos Tarquínios, e entre nós, na Holanda e na Suíça, depois da expulsão dos Tiranos.

Mas esses acontecimentos são raros; são exceções que sempre encontram sua razão de ser na especificidade da constituição de determinado Estado em particular. Nem mesmo poderiam ocorrer duas vezes com o mesmo povo, pois este só pode tornar-se livre, quando é bárbaro, não podendo mais fazê-lo, quando o recurso civil é usado. Então, os distúrbios podem destruí-lo, sem que as revoluções possam restabelecê-lo, e assim que seus grilhões se quebram, cai desfeito e não existe mais: necessita, de agora em diante, de um senhor e não de um libertador. Povos livres, lembrai-vos desta máxima: Pode-se adquirir a liberdade, mas jamais recuperá-la.

Tanto para as Nações como para os homens há um tempo de maturidade que é necessário esperar antes de submetê-los às leis; mas nem sempre é fácil conhecer a maturidade de um povo, e se nós a prevemos, a obra está acabada. Certo povo é disciplinável, ao nascer, outro só estará pronto, ao final de dez séculos. Os russos jamais serão verdadeiramente policiados[76], porque o foram muito cedo. Pedro[77] tinha o gênio imitativo; não tinha o verdadeiro gênio – aquele que cria e tira tudo do nada. Algumas das coisas que fez eram boas, a maior parte era inadequada. Percebeu que seu povo era bárbaro, mas não que ainda não estava maduro para a polícia; quis civilizá-lo quando só era preciso torná-lo forte. Primeiro quis torná-los Alemães e Ingleses, quando deveria ter começado por fazê-los Russos; impediu seus súditos de se tornarem aquilo que poderiam ser, persuadindo-os de que eram aquilo que não são. É assim que um Preceptor francês forma seu aluno para brilhar um momento na sua infância, para depois nunca mais ser nada. O Império da Rússia quererá subjugar a Europa e terminará por ser subjugado. Os Tártaros – seus súditos ou vizinhos – tornar-se-ão seus senhores e nossos: essa revolução me parece infalível. Todos os Reis da Europa trabalham juntos para acelerá-la.

Capítulo IX – Continuação

Da mesma forma que a natureza deu limites bem determinados à estatura de um homem, e, se ultrapassados, produz Gigantes ou Anões, da mesma forma há limites em relação à melhor constituição de um Estado quanto à sua extensão, para que não seja nem muito grande, para poder ser bem governado, nem muito pequeno, para se manter por si mesmo[78]. Em todo corpo político há um *maximum* de força que não deverá ser ultrapassado e do qual frequentemente se afasta em nome do crescimento. Quanto mais o liame social se estende, mais enfraquece, e geralmente um Estado pequeno é proporcionalmente mais forte que um grande.

Mil razões demonstram essa máxima. Primeiramente, a administração torna-se mais penosa nas grandes distâncias, da mesma forma que um peso torna-se mais pesado na ponta de uma alavanca mais longa. À medida que se multiplicam os graus da administração, esta se torna mais onerosa, pois cada cidade tem primeiro a sua administração, que é paga pelo povo, seguindo-se igualmente o distrito, cada província, depois os grandes governos, as Satrapias, os Vice-reinos, que sempre custam mais caro, à medida que avançam, e sempre às expensas do povo infeliz; finalmente, tem-se a administração suprema que tudo arrasa. Tantas sobrecargas exaurem continuamente os súditos; longe de serem melhor governados por essas diferentes instâncias, estão piores do que se tivessem só uma acima deles. No entanto, mal restam recursos para os casos extraordinários, e quando é preciso recorrer a eles, o Estado está sempre à véspera de sua ruína.

Isso não é tudo: não somente o Governo tem menos vigor e presteza para fazer observar as leis, impedir as vexações, corrigir os abusos, prevenir os empreendimentos sediciosos que podem realizar-se em lugares distantes, mas também o povo tem menor afeição pelos chefes que nunca vê, pela pátria que é como o mundo a seus olhos, e pelos seus concidadãos cuja maior parte lhe é estranha. As mesmas leis não podem convir a tantas províncias diferentes, com costumes diversos, que vivem sob climas opostos, e que não podem ter a mesma forma de governo. Leis diferentes estabelecem inquietação e confusão entre os povos que, vivendo sob os mesmos chefes e em contínua comunicação, mudando-se de um lado para o outro, casando-se entre si, e submetidos a outros costumes, nunca sabem se seu patrimônio lhes pertence de fato. Nessa multidão de homens estranhos entre si, enquanto a sede da administração superior permanece no mesmo lugar, os talentos são escondidos, as virtudes ignoradas, os vícios permanecem impunes. Os Chefes sobrecarregados de trabalho não veem nada por si mesmos, sendo o Estado governado pelos funcionários. Finalmente, as medidas necessárias para manter a autoridade geral à qual tantos Oficiais afastados querem se subtrair ou impor absorvem todas as atenções públicas, quase nada restando para a felicidade do povo, pouco ficando para sua defesa em caso de necessidade. É assim que um corpo muito grande por sua constituição enfraquece e perece esmagado sob seu próprio peso.

Por outro lado, o Estado deve dar-se uma certa base para ter solidez, para resistir aos abalos que não deixará de sofrer, e aos esforços a que estará obrigado para se manter: pois todos os povos têm uma espécie de força centrífuga, pela qual agem continuamente uns contra os outros e tendem a crescer às expensas de seus vizinhos, como os turbilhões de Descartes. Assim, os fracos arriscam-se a ser rapidamente devorados, e ninguém pode conservar-se a não ser estabelecendo com todos uma espécie de equilíbrio, que torna a compreensão em toda parte mais ou menos igual.

Por isso, podemos ver que o Estado tem razões, tanto para expandir-se quanto para restringir-se, e não é pequeno o talento do político para encontrar, entre umas e outras, a proporção mais vantajosa para a conservação do Estado. Em geral, pode-se dizer que as primeiras, sendo apenas exteriores e relativas, devem ser subordinadas às outras, que são internas e absolutas; uma constituição forte e sã é a primeira coisa que se deve procurar, e pode-se esperar mais do vigor que nasce de um bom governo do que dos recursos que oferece um grande território.

De resto, vimos Estados de tal forma estruturados que a necessidade das conquistas fazia parte da sua própria constituição, e que, para se manterem, eram forçados a se expandir continuamente. Talvez se alegrem muito com essa feliz necessidade, que, no entanto, lhes mostrará, com o fim de sua grandeza, o inevitável momento de sua queda.

Capítulo X – Continuação

Pode-se medir um corpo político de duas maneiras, a saber: pela extensão do território e pelo número da população. E há entre uma e outra dessas medidas uma relação conveniente para dar ao Estado sua verdadeira grandeza: são os homens que fazem o Estado, e é a terra que alimenta os homens. A relação estará então em que a terra seja suficiente para o desenvolvimento de seus habitantes[79], e que haja tantos habitantes, que a terra possa alimentar. É nessa proporção que se encontra o *maximum* de força de determinada parcela da população, pois se há terreno em demasia a sua guarda é onerosa, a cultura insuficiente, o produto supérfluo: essa é a causa imediata das guerras defensivas; se não há suficiente, o Estado fica à mercê de seus vizinhos para sua manutenção, e essa é a causa imediata das guerras ofensivas. Todo povo que, pela sua posição, não tem alternativa entre o comércio ou a guerra, é fraco por sua própria natureza; depende de seus vizinhos, depende dos acontecimentos, tem sempre uma existência incerta e curta. Ou subjuga, e muda de situação, ou é subjugado, e não é nada. Só pode conservar-se livre às custas de sua pequena ou grande extensão.

Não é possível estabelecer, através de cálculo, uma relação fixa de suficiência entre a extensão de terra e o número de homens, seja por conta das diferenças existentes na qualidade do terreno, nos seus graus de fertilidade, na variedade de suas produções, na influência dos climas, quanto em razão das que afetam os temperamentos dos homens que as habitam, pois uns consomem pouco num país fértil, e outros pouco em um solo ingrato[80]. Ainda é necessário atentar à maior ou menor fecundidade das mulheres, àquilo que o país possa ter de mais ou menos favorável à população, ao seu crescimento, para o qual o legislador possa contribuir por meio de suas instituições; de maneira que ele não deve fundamentar seu julgamento naquilo que vê, mas no que prevê, nem se preocupar tanto com o estado atual da população, mas sim com o estágio que ela deve alcançar. Finalmente, há mil ocasiões onde os acidentes próprios do lugar permitem ou exigem que se abarque mais terreno do que parece necessário. Assim, as pessoas se espalharão mais num país montanhoso onde as produções naturais, como as florestas e as pastagens, exigem menos trabalho, onde a experiência mostra que as mulheres são mais fecundas do que nas planícies e onde vastas encostas inclinadas oferecem uma pequena base horizontal, a única que conta para a vegetação. Ao contrário, podemos nos concentrar à beira-mar, mesmo nos rochedos e areias quase estéreis; porque a pesca pode superar em grande parte as produções da terra, os homens devem estar mais concentrados para espantar os piratas e para que, de outro lado se possa facilmente aliviar o país dos habitantes de que está sobrecarregado, enviando-os para colônias.

Nessas condições, para instituir um povo, é necessário acrescentar uma condição que não pode suprir a nenhuma das outras, mas sem a qual todas seriam inúteis: a fruição da abundância e da paz, uma vez que o tempo em que se organiza um Estado é – como aquele em que se forma um batalhão – o instante no qual o corpo está menos capacitado à resistência e mais fácil de destruir. Em uma desordem absoluta se resiste melhor do que em um momento de gestação, onde cada um se preocupa com seu papel e não com o perigo. O Estado estará inevitavelmente subvertido, se sobrevier uma guerra, uma grande fome ou uma sublevação[81].

Isso não significa que não haja muitos governos estabelecidos durante essas turbulências; mas são esses mesmos governos que destroem o Estado. Os usurpadores suscitam ou escolhem sempre esses períodos de perturbação, para conseguir aprovar leis destrutivas, graças ao temor público, e que o povo – de cabeça fria – nunca aprovaria. A escolha do momento da promulgação é uma das manifestações mais seguras pela qual se pode distinguir a obra do Legislador daquela do Tirano[82].

Qual é então o povo apto a receber a Legislação? Aquele que, estando já ligado por qualquer laço de origem, de interesse ou de convenção, não conheceu ainda o verdadeiro jugo das leis; aquele que não tem nem costumes nem superstições bem enraizadas; aquele que não teme que possa ser arrasado por uma invasão súbita, e, sem tomar parte nas querelas de seus vizinhos, pode resistir sozinho a cada um deles, ou ligar-se a um para repudiar o outro; aquele onde cada membro pode ser conhecido por todos[83] e onde não se é absolutamente forçado a sobrecarregar um homem com um fardo que ele não pode suportar; aquele que pode passar sem os outros povos e sem o qual todos os outros povos podem passar[m]; aquele que não é nem rico nem pobre e pode bastar-se a si mesmo; enfim, aquele que une à consistência de um povo antigo a docilidade de um povo novo. A obra da legislação se torna penosa, menos pelo que é preciso estabelecer, do que pelo que é preciso destruir, e o sucesso se torna tão raro pela impossibilidade de encontrar a simplicidade da natureza junto com as necessidades da sociedade. É verdade que dificilmente se encontram reunidas todas essas condições. Assim, encontram-se poucos Estados bem constituídos.

Ainda há na Europa um país apto a ser bem legislado: é a Ilha de Córsega. O valor e a constância com a qual esse bravo povo soube recuperar e defender sua liberdade[84], bem merece que algum homem sábio o ensine a conservá-la. Tenho algum pressentimento de que um dia essa pequena ilha surpreenderá a Europa.

Capítulo XI – Dos diversos sistemas de legislação

Se indagarmos exatamente em que consiste o maior dos bens, qual deve ser o objetivo de todo sistema legislativo, concluiremos que se reduz a dois objetivos principais: a *liberdade* e a *igualdade*. A liberdade, porque toda dependência particular é uma parcela de força retirada do corpo do Estado; a igualdade, porque a liberdade não pode subsistir sem ela.

Já me referi[85] ao que é a liberdade civil; quanto à igualdade não se deve entender por essa expressão que os graus de poder e de riqueza sejam absolutamente os mesmos, mas que, quanto ao poder, esteja acima de toda violência e só se exerça em virtude do cargo e das leis; e quanto à riqueza, que nenhum cidadão seja tão miserável para ser constrangido a se vender[86]: isso supõe, em relação aos grandes, moderação de bens e de crédito, e, em relação aos pequenos, moderação da avareza e da cupidez[n].

Essa igualdade, segundo dizem, é uma quimera de especulação que não pode existir na prática: Mas se o abuso é inevitável, deve-se concluir que não é preciso ao menos regulamentá-lo? Exatamente porque a força das coisas tende a destruir a igualdade[87], é que a força da legislação deve sempre tender a mantê-la.

Mas esses objetivos gerais de toda boa instituição devem ser modificados em cada país pelas relações decorrentes, tanto da situação local quanto do caráter dos habitantes, e é baseado nessas relações que é preciso atribuir a cada povo um sistema particular de instituição, que talvez não seja o melhor em si mesmo, mas para o Estado ao qual se destina. Por exemplo, o solo é estéril e ingrato ou o país muito acanhado para seus habitantes? Dediquem-se à indústria e às artes, cuja produção poderá ser trocada pelos produtos agrícolas.

Ao contrário, estais ocupados com ricas planícies e encostas férteis? Num bom terreno não há habitantes? Dedicai vosso cuidado à agricultura que multiplica os homens, e banis as artes que só acabarão de despovoar o país, reunindo em alguns pontos do território os poucos habitantes que existemº. O país é ocupado com extensos e amplos rios? Cobri o mar de velas, cultivai o comércio e a navegação; tereis uma existência brilhante e curta. O mar banha nas vossas encostas rochas quase inacessíveis? Permanecei bárbaros e ictiófagos; vivereis mais tranquilos, talvez melhores e certamente mais felizes. Resumindo, além das máximas comuns a todos, cada Povo traz em si alguma coisa que o ordena de maneira particular e torna sua legislação própria somente a ele. É por isso que antigamente os Hebreus, e recentemente os Árabes tiveram como principal preocupação a Religião; os Atenienses, as letras; Cartago e Tiro, o comércio; Rodes, o mar; Esparta, a guerra; e Roma, a virtude. O Autor de *Espírito das Leis*[88] demonstrou com uma variedade de exemplos, por meio de que arte o legislador dirige a instituição para cada um de seus objetivos.

O que torna a constituição de um Estado verdadeiramente sólida e durável é que as conveniências sejam de tal forma observadas que as relações naturais e as leis estejam sempre de acordo nos mesmos pontos, e estas nada mais façam do que assegurar, acompanhar e ratificar as outras. Mas, se o Legislador, enganando-se em relação ao seu objetivo, toma um princípio diferente daquele que nasce da natureza das coisas, ou seja, que um tende à servidão e outro à liberdade, um às riquezas e outro à população, um à paz e outro às conquistas, as leis enfraquecerão pouco a pouco, a constituição se alterará, e o Estado não cessará de agitar-se até que seja destruído ou modificado, e que a invencível natureza tenha retomado seu império.

Capítulo XII – Divisão das leis

Para ordenar o todo, ou dar a melhor forma possível à coisa pública, é preciso considerar diversas relações. Primeiramente, a ação do corpo inteiro, agindo sobre si mesmo, ou seja, a relação do todo com o todo, ou do Soberano com o Estado, e essa relação é composta por vários termos intermediários, como veremos a seguir[89].

As leis que regulamentam essa relação têm o nome de leis políticas, e também são chamadas leis fundamentais, não sem razão, se essas leis são sábias. Uma vez que só há em cada Estado uma boa maneira de ordená-lo, o povo que a encontrou deve mantê-la: Mas se a ordem estabelecida é má, por que tomarão como fundamentais leis que o impedem de ser bom? Por outro lado, em qualquer situação, um povo é sempre senhor de mudar suas leis, mesmo as melhores; pois se lhe agrada fazer mal a si mesmo, quem tem direito de impedi-lo?

A segunda relação é a dos membros entre si ou com o corpo inteiro, e essa relação deve ser, no primeiro caso, tão pequena, e no segundo, tão grande quanto possível: de forma que todo Cidadão tenha uma perfeita independência de todos os outros, e uma excessiva dependência da Cidade – o que se faz sempre pelos mesmos métodos, já que só a força do Estado faz a liberdade de seus membros. É dessa segunda relação que nascem as leis civis.

Pode-se considerar um terceiro tipo de relação entre o homem e a lei, a saber, a da desobediência à norma; esta dá lugar ao estabelecimento das leis criminais, que no fundo são menos uma espécie particular de leis do que a sanção de todas as outras.

A esses três tipos de leis soma-se uma quarta, a mais importante de todas, que não se grava nem sobre o mármore nem sobre o bronze, mas nos corações dos cidadãos; que espelha a verdadeira constituição do Estado; que todos os dias toma novas forças; que tão logo as outras leis envelhecem ou enfraquecem, reanima-as ou supera-as; conserva o povo no espírito de sua instituição e substitui pouco a pouco a força do hábito pela da autoridade. Refiro-me aos modos[90], aos costumes e sobretudo à opinião, essa parte desconhecida de nossos políticos, mas da qual depende o sucesso de todas as outras; o grande Legislador ocupa-se dela em segredo, enquanto parece limitar-se a regulamentos particulares que são o centro da abóbada, cujos modos, mais lentos a nascer, formam a pedra de toque indestrutível.

Entre esses diversos tipos, as leis políticas que constituem a forma do Governo são as únicas que interessam à minha reflexão.

Livro III

Antes de discorrer sobre as diversas formas do Governo[91], tratemos de fixar o sentido preciso dessa palavra, que ainda não foi bem explicada.

Capítulo I – Do governo em geral

Advirto o leitor de que este capítulo deverá ser lido com atenção e que desconheço a arte de ser claro para quem não quer estar atento.

Toda ação livre é produzida por duas causas: uma moral, a saber, a vontade que determina o ato; e outra física, a saber, o poder que a executa. Quando me dirijo a um objeto é necessário, primeiramente que eu queira me dirigir a ele; em segundo lugar, que meus pés me levem até ele. Se um paralítico quiser correr, e um homem ágil não quiser fazê-lo, os dois ficarão no mesmo lugar. O corpo político tem os mesmos móveis; é possível distinguir igualmente nele a força e a vontade: esta recebe o nome de *poder legislativo*, aquela, o nome de *poder executivo*[92]. Nada se faz aqui nem se deve fazer, sem sua participação.

Já vimos que o poder legislativo pertence ao povo, e só a ele pode pertencer. Por outro lado, é errado pensar, através dos princípios aqui estabelecidos, que o poder executivo não possa pertencer à generalidade, como Legisladora ou Soberana, uma vez que esse poder só consiste em atos particulares que não são da alçada da lei, nem consequentemente do Soberano, e todos os seus atos só podem ser leis.

Então, a força pública necessita de um agente próprio que a ordene e que a faça funcionar segundo a direção da vontade geral, que sirva à comunicação entre o Estado e o Soberano, significando de alguma forma, na pessoa pública, o mesmo que no homem significa a união da alma e do corpo[93]. Assim, ela é no Estado a razão do Governo, confundida erroneamente com o Soberano, do qual é apenas o ministro.

O que é então o Governo? Um corpo intermediário estabelecido entre os súditos e o Soberano, para sua mútua correspondência, encarregado da execução das leis e da manutenção da liberdade, tanto civil quanto política.

Os membros desse corpo chamam-se *Magistrados* ou *Reis*, ou seja, *Governadores*, e o corpo como um todo tem o nome de *Príncipe*[p]. Assim, têm razão aqueles que afirmam que o ato pelo qual um povo se submete aos chefes não é de forma alguma um contrato. Sendo a alienação de tal direito incompatível com a natureza do corpo social e contrária ao objeto da associação, nada mais é que uma comissão, um emprego no qual simples oficiais do Soberano exercem em seu nome o poder do qual ele os fez depositários, e que ele pode limitar, modificar e retomar, quando quiser.

Chamo então *Governo* ou suprema administração o exercício legítimo do poder executivo[94], e de Príncipe ou magistrado, o homem ou o corpo encarregado dessa administração.

É no governo então que se encontram as forças intermediárias, cujas relações são as do todo com o todo ou do Soberano com o Estado[95]. É possível representar essa última relação pelos extremos de uma proporção contínua, cuja média proporcional é o Governo. O Governo recebe do Soberano as ordens que ele dá ao povo, e para que o Estado esteja num bom equilíbrio, é necessário que, uma vez tudo compensado, aí haja igualdade entre o produto, ou o poder do Governo tomado em si mesmo, e o produto, ou o poder dos cidadãos, que são soberanos de um lado e súditos do outro.

Além do mais, não se poderia alterar nenhum dos três termos, sem romper de imediato a proporção. Se o Soberano quer governar, ou se o magistrado quer estabelecer as leis, ou ainda se os súditos se recusam a obedecer, a desordem substitui a regra, a força e a vontade não agem mais em conjunto, e o Estado, dissolvendo-se, cai no despotismo ou na anarquia. Da mesma forma que só há uma média proporcional entre cada relação, também só há um bom governo possível para cada Estado: mas como mil acontecimentos podem mudar as relações de um povo, não só diferentes Governos podem ser bons para diferentes povos, mas também para o mesmo povo em diferentes épocas.

Para tentar dar uma ideia das diversas relações que podem reinar entre esses dois extremos, tomarei como exemplo o número de habitantes, por ser uma relação mais fácil de explicar.

Suponhamos que o Estado seja composto de dez mil Cidadãos. O Soberano só pode ser considerado coletivamente e como corpo, mas cada particular, na qualidade de súdito, é considerado como indivíduo: assim, o Soberano está para o súdito na proporção de dez mil para um, o que equivale a dizer que cada membro do Estado só tem a décima milésima parte da autoridade soberana, mesmo lhe estando totalmente submetido. Mesmo que o povo seja composto de cem mil homens, o estado dos súditos não muda, e cada um suporta igualmente o império das leis, enquanto seu sufrágio, reduzido a um centésimo de milésimo, tem dez vezes menos influência na sua redação. Logo, permanecendo o súdito sempre um, a relação do Soberano aumenta em razão do número dos Cidadãos. De onde se conclui que, mais o Estado aumenta, mais diminui a liberdade.

Quando afirmo que a relação aumenta, significa que se afasta da igualdade. Assim, quanto maior for a relação na acepção dos Geômetras, menor é a relação na concepção comum; na primeira, sendo a relação considerada segundo a quantidade, mede-se pelo exposto, na outra, sendo considerada segundo a identidade, é estimada pela similitude.

Ora, menos as vontades particulares se relacionam com a vontade geral, ou seja, os costumes com as leis, mais a força repressora deve aumentar. Daí, o Governo, para ser bom, deve ser relativamente mais forte, à medida que o povo se torna mais numeroso.

Por outro lado, dando o crescimento do Estado aos depositários da autoridade política mais tentações e meios de abusar de seu poder, mais o governo deve ter força para conter o povo, e o Soberano mais deve tê-la para conter o Governo. Não estou me referindo a uma força absoluta, mas a uma força relativa das diferentes partes do Estado.

Conclui-se dessa dupla relação que a proporção contínua entre o Soberano, o Príncipe e o povo não é uma ideia arbitrária, mas uma consequência necessária da natureza do corpo político. Também se segue que um dos termos, a saber, o povo como súdito, sendo fixo e representado pela unidade, todas as vezes que a razão dupla[96] aumenta ou diminui, a razão simples também aumenta ou diminui de forma semelhante, modificando-se, consequentemente, o termo médio. Isso demonstra que não existe uma constituição de Governo única e absoluta, mas que podem existir tantos Governos diferentes pela natureza quantos Estados diferentes pela extensão.

Se, ridicularizando esse sistema, alguém disser que para encontrar essa média proporcional e formar o corpo do Governo é necessário – segundo minhas afirmações – tirar a raiz quadrada do número do povo, responderei que só tomei esse número como exemplo, que as relações de que falo não se medem apenas pelo número de homens, mas geralmente pela quantidade de ação, que se combina por múltiplas causas. Quanto ao resto, se para me expressar mais objetivamente tomei emprestados alguns termos da geometria, não ignoro, entretanto, que a precisão geométrica nada significa nas quantidades morais.

O Governo é, em tamanho menor, aquilo que o corpo político, que o envolve, é, em tamanho maior. É uma pessoa moral dotada de certas qualidades, ativa como o Soberano, passiva como o Estado, e que podemos decompor em outras partes semelhantes de onde nasce consequentemente uma nova proporção, e ainda outra, dentro dessa, segundo a ordem dos tribunais, até que se chegue a um meio-termo indivisível. Ou seja, a um único chefe ou magistrado supremo, que possamos representar no centro dessa progressão, como a unidade entre a série das frações e dos números.

Sem nos embaraçarmos nessa multiplicação de termos, é suficiente considerar o Governo como um novo corpo dentro do Estado, diverso do povo e do Soberano, e intermediário entre um e outro.

Há essa diferença essencial entre esses dois corpos, ou seja, que o Estado existe por si mesmo e que o Governo só existe pelo Soberano. Assim, a vontade dominante do Príncipe só é ou deveria ser a vontade geral ou a lei, e sua força nada mais é que a força pública concentrada nele; desde que queira derivar de si mesmo qualquer ato absoluto e independente, a ligação do todo começa a enfraquecer. Se finalmente acontecer que o Príncipe tenha uma vontade particular mais ativa que a do Soberano, e que use a força pública que está nas suas mãos para fazer obedecer a essa vontade particular, de sorte que se tenha, por assim dizer, dois Soberanos, um de direito e outro de fato, nesse instante a união social se desvanece, e o corpo político se dissolve.

No entanto, para que o corpo do Governo tenha uma existência, uma vida real que o distinga do corpo do Estado, para que todos os seus membros possam agir em conjunto e responder à finalidade para a qual foi instituído, é necessário um *eu* particular, uma sensibilidade comum a seus membros, uma força, uma vontade própria que tende à sua conservação. Essa existência particular supõe assembleias, conselhos, um poder de deliberar e de resolver, direitos, títulos, privilégios pertencentes exclusivamente ao Príncipe e que tornam a condição do magistrado mais honorável, à proporção que é mais penosa. As dificuldades residem na maneira de ordenar, no todo, esse todo subalterno, de modo a não alterar de forma alguma a constituição geral, ao afirmar a sua; que distinga sempre sua força particular, destinada à sua própria conservação, da força pública, destinada à conservação do Estado; e que, em uma palavra, esteja sempre pronto a sacrificar o Governo ao povo e não o povo ao Governo.

Aliás, mesmo que o corpo artificial do Governo seja obra de um outro corpo artificial e que só tenha uma vida emprestada e subordinada, isso não impede que possa agir com maior ou menor vigor ou rapidez, usufruir, por assim dizer, de uma saúde mais ou menos robusta. Enfim, sem se distanciar diretamente do objetivo de sua instituição, poderá afastar-se mais ou menos dele, de acordo com a maneira como foi constituído.

É de todas essas diferenças que nascem as diferentes relações que o Governo deve ter com o corpo do Estado, segundo as relações acidentais e particulares pelas quais esse mesmo Estado se modifica. Frequentemente, o melhor Governo em si mesmo se torna o mais vicioso, se suas relações não forem alteradas segundo os defeitos do corpo político ao qual pertence.

Capítulo II – Do princípio que constitui as diversas formas de governo

Para expor a causa geral dessas diferenças é preciso distinguir aqui o Príncipe e o Governo[97], como antes distingui o Estado e o Soberano.

O corpo do magistrado pode ser composto de um número maior ou menor de membros. Dissemos que a relação do Soberano com os súditos era maior, quando o povo fosse mais numeroso; e através de uma analogia evidente podemos dizer o mesmo do Governo em relação aos Magistrados.

Ora, a força total do Governo, sendo sempre a mesma do Estado, de modo algum varia, de onde se deduz que, quanto mais usar essa força sobre seus membros, menos lhe restará para agir sobre todo o povo[98].

Logo, quanto mais numerosos são os Magistrados, mais fraco é o Governo. Como se trata de uma máxima fundamental, tentemos esclarecê-la melhor.

Podemos distinguir na pessoa do magistrado três vontades essencialmente diferentes. Primeiramente, a vontade própria do indivíduo, que tende apenas ao seu benefício pessoal; segundo, a vontade comum dos magistrados, que diz respeito somente à vantagem do Príncipe, e que podemos chamar de vontade de corpo, a qual é geral em relação ao Governo, e particular em relação ao Estado do qual o Governo faz parte; em terceiro lugar, a vontade do povo ou a vontade soberana, que é geral, tanto em relação ao Estado considerado como o todo quanto em relação ao Governo, considerado como parte do todo.

Em uma legislação perfeita, a vontade particular ou individual deve ser nula, a vontade do corpo relativa ao Governo deve estar subordinada, e, em consequência, a vontade geral ou soberana deve ser sempre dominante e única regra de todas as outras[99].

Ao contrário, segundo a ordem natural, as diferentes vontades tornam-se mais ativas à medida que se concentram. Assim, a vontade geral é sempre a mais fraca, a vontade de corpo vem em segundo lugar, e a vontade particular é a primeira de todas: de tal forma que no Governo cada membro é primeiro ele mesmo, depois Magistrado e depois cidadão. Essa gradação se opõe diretamente àquela que exige a ordem social.

Isso posto, que se deposite todo Governo nas mãos de um único homem; temos assim a vontade particular e a vontade de corpo perfeitamente reunidas, e esta consequentemente elevada ao mais alto grau de intensidade que possa ter. Ora, como é do grau da vontade que depende o uso da força e que a força absoluta do Governo não varia de forma alguma, segue-se daí que o mais ativo dos Governos é aquele de um só.

Ao contrário, unamos o Governo à autoridade legislativa, façamos um Príncipe do Soberano, e tantos magistrados de quantos são os Cidadãos, e veremos que, então, a vontade do corpo, confundida com a vontade geral, não terá mais atividade que ela e deixará à vontade particular a toda sua força. Assim, o Governo, sempre com a mesma força absoluta, estará no seu *minimum* de força relativa ou de atividade.

Essas relações são incontestáveis e outras considerações servem ainda mais para confirmá-las. Vemos, por exemplo, que cada magistrado é mais ativo no seu corpo do que cada cidadão no que lhe é próprio, e que em consequência a vontade particular tem muito mais influência nos atos do Governo do que nos do Soberano, uma vez que cada magistrado é quase sempre encarregado de qualquer função no Governo, ao passo que cada cidadão, tomado individualmente, não tem função alguma na soberania. Além disso, mais o Estado cresce, mais sua força real aumenta, mesmo que não aumente em razão de sua extensão; mas permanecendo o Estado o mesmo, aos magistrados interessa se multiplicarem, o Governo não adquire maior força real, porque essa força é a do Estado, na medida em que é sempre igual. Assim, a força relativa ou a atividade do Governo diminui sem que a força absoluta ou real possa aumentar.

Também é certo que a expedição dos negócios se torna mais lenta, à medida que mais pessoas se encarregam delas; dando-se muita atenção à prudência, não se atenta suficientemente à sorte, deixando-se escapar a ocasião, e que, à força de deliberar, perde-se frequentemente o fruto da deliberação.

Acabo de provar que o Governo enfraquece à medida que os magistrados se multiplicam, e também provei que, quanto mais o povo é numeroso, mais deve aumentar a força repressora. De onde se segue que a relação entre magistrados e Governo deve ser o inverso da relação entre os súditos e o Soberano: o que significa dizer que, quanto mais o Estado cresce, mais o Governo deve limitar-se, de tal forma que o número de chefes diminua em razão do aumento do povo[100].

Além do mais, apenas me refiro à força relativa do Governo, e não à sua retidão, pois, ao contrário, quanto mais o corpo de magistrados é numeroso, mais a vontade do corpo se reaproxima da vontade geral; ao passo que sob um único magistrado essa mesma vontade do corpo é apenas, como já disse, uma vontade particular. Assim, perde-se de um lado aquilo que se pode ganhar de outro, e a arte do Legislador está em saber fixar o ponto onde a força e a vontade do governo, sempre em proporção recíproca, combinam-se em uma relação mais vantajosa para o Estado.

Capítulo III – Divisão dos governos

Vimos no capítulo anterior como se distinguem as diversas espécies ou formas de Governo pelo número de membros que o compõem. Resta-nos ver, neste capítulo, como se faz essa divisão[101].

Em primeiro lugar, o Soberano pode confiar o Governo a todo o povo ou à maior parte do povo, de tal forma que haja mais cidadãos magistrados do que simples cidadãos particulares. Dá-se a essa forma de Governo o nome de *Democracia*.

Ou então ele pode colocar o Governo nas mãos de um pequeno número, de maneira que haja mais simples Cidadãos que magistrados, e essa forma tem o nome de *Aristocracia*.

Enfim, pode concentrar todo o Governo nas mãos de um único magistrado, do qual todos os outros recebem seu poder. Esta terceira forma é a mais comum, e se chama *Monarquia*, ou Governo real.

Deve-se assinalar que todas essas formas, ou, ao menos, as duas primeiras, são suscetíveis de restrições ou de ampliações, e têm de fato uma grande latitude, pois a Democracia pode abraçar todo o povo, ou restringir-se à metade. A Aristocracia, por sua vez, pode restringir-se indeterminadamente da metade do povo ao menor número. Mesmo a Realeza é suscetível de alguma divisão. Pela sua constituição, Esparta teve constantemente dois Reis, e vimos algumas vezes, no Império Romano, até oito imperadores sem que se possa dizer que o Império foi dividido. Assim, há um ponto em que cada forma de governo se confunde com a seguinte, e vemos que, sob três únicas denominações, o Governo é realmente suscetível de tantas formas diferentes quantos Cidadãos tenha o Estado.

Ainda há mais: esse mesmo Governo, podendo em certos aspectos subdividir-se em outras partes, uma administrada de uma maneira, e outra de uma outra, o resultado dessas três formas combinadas pode ser uma multidão de formas mistas, sendo cada uma multiplicável por todas as formas simples.

Em todas as épocas se discutiu muito sobre a melhor forma de Governo, sem considerar que cada uma delas é a melhor em certos casos e a pior em outros.

Se nos diversos Estados o número de magistrados supremos deve estar em proporção inversa à do número de Cidadãos, conclui-se que, em geral, o Governo Democrático convém aos pequenos Estados, a Aristocracia aos medíocres e a Monarquia aos grandes. Essa regra deriva imediatamente do princípio[102]; mas, como considerar a variedade de circunstâncias que podem causar exceções?

Capítulo IV – Da democracia

Aquele que faz a lei sabe melhor do que ninguém como deve ser executada e interpretada. Então, parece que não se teria melhor constituição do que aquela onde o poder executivo está unido ao legislativo; mas isso é o mesmo que tornar esse Governo insuficiente em certos aspectos, porque as coisas que devem ser diferenciadas não o são, e sendo o Príncipe e o Soberano a mesma pessoa, formam, por assim dizer, um Governo sem Governo.

Não é bom que aquele que faz as leis as execute, nem que o corpo do povo desvie sua atenção dos interesses gerais, para atribuí-la aos objetivos particulares[103]. Nada é mais perigoso do que a influência dos interesses privados nos assuntos públicos, e o abuso das leis por parte do Governo é um mal menor que a corrupção do Legislador, consequência inevitável dos interesses particulares. Então, toda reforma torna-se impossível, quando o Estado está alterado na sua substância. Um povo que nunca abusasse do Governo, também não abusaria da independência; um povo que governasse sempre bem, jamais teria necessidade de ser governado.

Tomando-se o termo no rigor da acepção, nunca existiu a verdadeira Democracia e jamais existirá. É contra a ordem natural que o maior número governe e que o menor seja governado. Não se pode imaginar que o povo permaneça constantemente reunido para deliberar sobre os negócios públicos, e se compreende, claramente, que não se poderia estabelecer comissões para isso sem que se mude a forma de administração.

De fato, creio poder estabelecer em princípio que, quando as funções do Governo são divididas entre vários tribunais, os menos numerosos adquirem cedo ou tarde a maior autoridade, quanto mais não fosse em razão da facilidade de expedir os assuntos que naturalmente chegam até eles.

Além disso, que dificuldades de reunião não supõe esse Governo? Primeiramente, um Estado muito pequeno onde seja fácil reunir o povo e onde cada cidadão possa facilmente conhecer todos os outros; em segundo lugar, uma grande simplicidade de costumes que evite a variedade de assuntos e as discussões espinhosas. Em seguida, muita igualdade nos cargos e nas fortunas, sem o que a igualdade não poderia subsistir muito tempo nos direitos e na autoridade. Finalmente, pouco ou nenhum luxo[104], pois o luxo ou é efeito das riquezas, ou as torna necessárias, corrompendo tanto o rico quanto o pobre, um pela posse e o outro, pela cobiça, entregando a pátria à indolência e à vaidade, subtraindo ao Estado todos os seus Cidadãos, para submeter uns aos outros, e todos à opinião.

Eis por que um Autor célebre[105] estabeleceu a virtude como princípio da República, porque todas essas condições não poderiam subsistir sem a virtude: mas, por não ter feito as distinções necessárias, faltou justeza a esse grande gênio, e algumas vezes clareza, uma vez que não percebeu que a autoridade Soberana, sendo a mesma em toda parte, o mesmo princípio deve vigorar em todo o Estado bem-constituído, embora – é verdade – mais ou menos segundo a forma do Governo.

Acrescentemos a isso que não há Governo tão sujeito às guerras civis e às agitações intestinas quanto o Democrático ou popular, porque não há nenhum que tenda tão fortemente e tão continuamente a mudar de forma, nem que demande mais vigilância e coragem para ser mantido na forma original. É sobretudo nessa constituição que o Cidadão deve armar-se de força e de constância e repetir cada dia de sua vida, do fundo de seu coração, aquilo que dizia um virtuoso Paladino[q] na Dieta da Polônia: *Malo periculosam libertatem quam quietum servitium*[106].

Se existisse um povo de Deuses, ele se governaria Democraticamente. Um Governo tão perfeito não convém aos homens.

Capítulo V – Da aristocracia

Temos aqui duas pessoas morais muito distintas, a saber, o Governo e o Soberano, e consequentemente duas vontades gerais[107], uma relativa a todos os cidadãos, e outra que diz respeito apenas aos membros da administração. Dessa forma, embora o Governo possa regulamentar sua polícia[108] interna como lhe aprouver, só poderá falar ao povo em nome do Soberano, ou seja, em nome do próprio povo: é preciso nunca esquecer isso.

As primeiras sociedades se governaram aristocraticamente. Os chefes das famílias deliberavam entre si sobre os assuntos públicos, os jovens cediam naturalmente à autoridade da experiência; daí, nomes como *Sacerdotes, anciãos, senado, Gerontes*. Ainda hoje os selvagens da América Setentrional governam-se assim, e são muito bem-governados.

Mas, à medida que a desigualdade instituída se sobrepôs à desigualdade natural, o critério da idade foi preterido pela riqueza ou o poder[r], e a Aristocracia se tornou eletiva. Assim, o poder, transmitido com os bens do pai aos filhos, tornando as famílias patriarcais, torna o Governo hereditário, e houve então senadores com vinte anos de idade.

Há então três tipos de Aristocracia: natural, eletiva e hereditária. A primeira convém apenas a povos simples; a terceira é a pior de todos os Governos. A segunda é a melhor: é a Aristocracia propriamente dita.

Essa tem como vantagem, além da distinção entre os dois poderes, a escolha dos seus membros, pois no Governo popular todos os Cidadãos nascem magistrados, mas sua participação é limitada a um pequeno número e só se tornam seus membros por eleição[s]; motivo pelo qual a probidade, o esclarecimento, a experiência, e todas as outras razões da preferência e da estima públicas são verdadeiras garantias de que se será sabiamente governado[109].

Além disso, as assembleias se realizam mais comodamente, os assuntos são melhor discutidos e despachados com mais ordem e diligência, o crédito do Estado no exterior é mais facilmente conseguido por verdadeiros senadores do que por uma multidão desconhecida ou desprezada.

Em uma palavra, a melhor regra e a mais natural é que os mais sábios governem a multidão, quando estamos certos de que a governarão em seu proveito e não no deles; não é necessário multiplicar em vão seus recursos, nem fazer com vinte mil homens o que cem homens escolhidos podem fazer ainda melhor. Mas é preciso ressaltar que nesse caso o interesse de corpo passa a dirigir menos a força pública – sobre a regra da vontade geral, e que uma outra tendência inevitável retira das leis uma parte do poder executivo.

No que diz respeito às conveniências particulares, não é necessário nem um Estado tão pequeno, nem um povo tão simples e tão reto para que a execução das leis suceda imediatamente à vontade pública, como em uma boa Democracia. Também não é necessária uma nação tão grande, de tal forma que os chefes distribuídos para governá-la possam, cada um de sua circunscrição, fazer-se passar pelo Soberano e começar por tornar-se independente para finalmente tornarem-se os senhores.

Mas, se a Aristocracia exige algumas virtudes a menos do que o Governo popular, por outro lado, exige outras que lhe são próprias, tais como a moderação entre os ricos e o conformismo entre os pobres, pois uma igualdade rigorosa não seria possível; nem mesmo em Esparta ela foi observada[110].

De resto, se essa forma comporta uma certa desigualdade de riqueza, é muito mais porque, em geral, a administração dos negócios públicos é confiada àqueles que podem mais dedicar-lhe todo o seu tempo, mas não como pretendia Aristóteles, para que os ricos sejam sempre preferidos. Ao contrário, é importante que uma escolha oposta, às vezes, ensine ao povo que no mérito dos homens há razões de preferência mais importantes do que a riqueza.

Capítulo VI – Da monarquia

Até aqui consideramos o Príncipe como uma pessoa moral e coletiva, unida pela força das leis, e depositária no Estado do poder executivo. Agora, devemos considerar esse poder reunido nas mãos de uma pessoa natural, de um homem real, que tem o poder de dispor dele sozinho, segundo as leis. É o que comumente se chama de Monarca ou de Rei.

Ao contrário das outras administrações, onde um ser coletivo representa um indivíduo, nessa um indivíduo representa um ser coletivo, de modo que a unidade moral que constitui o Príncipe é ao mesmo tempo uma unidade física, na qual todas as faculdades que na outra estão reunidas com tanto esforço por força da lei se encontram naturalmente reunidas[111].

Dessa forma, a vontade do povo, a vontade do Príncipe, a força pública do Estado, e a força particular do Governo, correspondem todas ao mesmo móvel, todas as engrenagens da máquina estão na mesma mão, tudo caminha para o mesmo fim, não há movimentos opostos que aí se introduzam, e não se pode imaginar nenhum tipo de constituição na qual um menor esforço produz uma ação mais considerável. Arquimedes, sentado tranquilamente à beira do rio e fazendo navegar sem dificuldade um grande Navio, me parece um monarca hábil, governando de sua sala seus vastos Estados, e fazendo tudo mover-se, embora pareça imóvel.

Mas, se não existe de forma alguma um Governo que tenha mais vigor, igualmente não há outro onde a vontade particular tenha maior domínio e domine mais facilmente as outras. É verdade que tudo caminha para o mesmo fim, mas esse não é de modo algum o da felicidade pública, e mesmo a força da Administração movimenta-se sem cessar contra o Estado.

Os Reis querem ser absolutos[112], e há muito tempo lhes dizem que a melhor maneira de sê-lo é se fazer amar por seus povos. Em certos aspectos, essa máxima é muito bonita e mesmo muito verdadeira. Infelizmente, sempre será ridicularizada nas Cortes. O poder que vem do amor dos povos é sem dúvida o maior, mas é precário e condicional, jamais os Príncipes se contentarão com ele. Os melhores Reis querem – se assim desejarem – ser maus sem deixarem de ser os senhores. Um comentarista político certamente diria que a força do povo, sendo a sua, seu maior interesse é que o povo seja próspero, numeroso, temível: sabem muito bem que isso não é verdade. Primeiramente, seu interesse pessoal é que o Povo seja fraco, miserável, e que nunca lhe possa resistir. Creio que, supondo os súditos sempre perfeitamente submetidos, o interesse do Príncipe seria então que o povo fosse poderoso, para que esse poder, sendo o seu, o tornasse invencível frente a seus vizinhos; mas, como esse interesse é apenas secundário e subordinado, e como as duas suposições são incompatíveis, é natural que os Príncipes prefiram sempre a máxima que lhes é imediatamente mais útil. Foi isso que Samuel expôs com ênfase aos Hebreus[113]; foi isso que Maquiavel demonstrou com evidência. Fingindo dar lições aos Reis, deu grandes lições aos povos. O Príncipe de Maquiavel é o livro dos republicanos[114].

Através das relações gerais aqui expostas, é possível concluir que a monarquia só é conveniente aos grandes Estados, e chegaremos à mesma conclusão se a analisamos em si mesma. Quanto mais numerosa é a administração pública, mais a relação do Príncipe com os súditos diminui e se aproxima da igualdade, de modo que essa relação, ou é una, ou é a igualdade propriamente dita na Democracia. Essa mesma relação aumenta, à medida que o Governo se fecha, e atinge seu *maximum*, quando o Governo está nas mãos de um só. Então, há uma grande distância entre o Príncipe e o Povo, faltando coesão ao Estado que, para formá-la, necessita de ordens intermediárias: são necessários Príncipes, Grandes, e nobreza. Ora, nada disso convém a um Estado pequeno, uma vez que todas essas divisões o arruinariam.

Mas, se é difícil que um grande Estado seja bem governado, é mais difícil ainda que seja bem governado por um único homem, e todos sabem o que acontece, quando o Rei designa substitutos.

Um defeito essencial e inevitável, que sempre colocará o governo monárquico abaixo do republicano, é que neste só os homens esclarecidos e capazes são elevados aos primeiros postos pela voz pública, ocupando-os com honra; enquanto que aqueles que chegam a eles nas monarquias, frequentemente, não passam de pequenos embrulhões, de pequenos escroques, de pequenos intrigantes, a quem os pequenos talentos, que nas Cortes ajudam a atingir os grandes postos, só servem para mostrar ao público sua inépcia, assim que os atingem. O povo se engana muito menos sobre essa escolha do que o Príncipe, e um homem de verdadeiro mérito é quase tão raro no ministério quanto um tolo à frente de um governo republicano. Também, quando por algum acaso feliz, um desses homens nascido para governar toma o timão dos negócios em uma Monarquia quase arruinada pelos erros de regentes inexperientes, causam surpresa os resultados por ele obtidos, deixando lembranças duradouras no país[115].

Para que um Estado monárquico possa ser bem governado, é necessário que sua grandeza ou sua extensão sejam medidas pelas faculdades daquele que governa. É mais fácil conquistar do que reinar. Com um instrumento adequado, é possível mover o mundo com um dedo, mas para sustentá-lo são necessários os ombros de Hércules. Mesmo que um Estado seja grande, quase sempre o Príncipe é muito pequeno. Quando, ao contrário, acontece de o Estado ser muito pequeno para seu chefe – o que é raro – aquele é mal governado, porque o chefe, sempre seguindo a grandeza de sua visão, esquece os interesses dos povos, e não os faz menos infelizes pelo abuso dos talentos que tem em excesso, do que um chefe limitado pela ausência dos que lhe faltam. Por assim dizer, seria necessário que um reino se estendesse ou se limitasse a cada reinado, de acordo com a capacidade do Príncipe; enquanto que as qualidades de um Senado, tendo padrões mais fixos, o Estado pode ter limites constantes e a administração não irá menos bem.

O inconveniente mais marcante do Governo de um só é o defeito dessa sucessão contínua, que nos outros dois forma uma ligação ininterrupta. Morto um Rei, é necessário outro, as eleições deixam intervalos perigosos, são tempestuosas e, a menos que os Cidadãos sejam de um desprendimento, de uma integridade que esse Governo de forma alguma comporta, acresce-se a isso a intriga e a corrupção. É difícil que aquele a quem o Estado se vendeu, por sua vez também não o venda e não se indenize à custa dos fracos, do dinheiro que os poderosos lhe extorquiram. Nesse tipo de administração, cedo ou tarde tudo se torna venal, e a paz que se goza sob os reis é pior do que a desordem durante os interregnos.

Que foi feito para prevenir esses males? As Coroas se tornaram hereditárias em certas famílias, estabelecendo-se uma ordem de Sucessão que previne toda disputa, quando da morte dos Reis; ou seja, substituindo o inconveniente das regências pelo das eleições, preferiu-se uma aparente tranquilidade, ao invés de uma administração sábia, escolhendo-se arriscar a ter como chefes crianças, monstros, imbecis, do que ter de disputar por meio de eleições a escolha de bons Reis. Não se considerou que, ao se expor aos riscos da alternativa, coloca-se quase todas as chances contra si. São muito sensatas as palavras do jovem Denis, quando seu pai o censurou por uma ação errônea, perguntando-lhe se ele não lhe tinha dado o exemplo? Ah, respondeu o filho, vosso pai não era rei!

Tudo contribui para privar de justiça e de razão um homem feito para comandar os outros. Pelo que se diz, é muito difícil ensinar a arte de reinar aos jovens Príncipes; não parece que tirem algum proveito dessa educação. Seria melhor começar a lhes ensinar a arte de obedecer. Os maiores reis que a história tem celebrado não foram preparados para reinar; trata-se de uma ciência que, quanto mais se aprende, menos se conhece, e sobre a qual se adquire mais obedecendo do que comandando. *Nam utilissimus idem ac brevissimus bonarum malorumque rerum delectus, cogitare quid aut nolueris sub alio Principe aut volueris*[t].

A consequência dessa falta de coerência[117] é a inconstância do governo real que, regulando-se tanto sobre um plano quanto sobre outro segundo o caráter do Príncipe reinante ou daqueles que reinam em seu lugar, não pode ter por muito tempo nem um objeto fixo nem uma conduta consequente; essa variação deixa sempre o Estado oscilando de máxima em máxima, de projeto em projeto, o que não acontece em outros Governos, onde o Príncipe é sempre o mesmo. Em geral, se também há mais força em uma Corte, há mais sabedoria num Senado, e as Repúblicas atingem melhor seus objetivos por vias mais constantes e melhor seguidas, ao passo que cada revolução no Ministério produz uma no Estado, já que a máxima, comum a todos os Ministros e a quase todos os reis, é de agir em tudo em oposição ao seu antecessor.

Dessa incoerência ainda é possível deduzir a solução de um sofisma muito familiar aos políticos reais: trata-se não só de comparar o Governo civil ao Governo doméstico e o príncipe ao pai de família – erro que já foi refutado[118] –, mas também de conferir com liberdade a esse magistrado todas as virtudes de que terá necessidade, e de supor sempre que o Príncipe é aquilo que deve ser; com a ajuda dessa suposição, o Governo real é evidentemente sempre preferível a qualquer outro, porque é incontestavelmente o mais forte, e para que também seja o melhor falta-lhe apenas uma vontade de corpo, mais conforme à vontade geral.

Mas se, segundo Platão[u], o Rei é, por natureza, uma personagem tão rara, quantas vezes concorreram a natureza e a fortuna para coroá-lo, e além disso, se a educação real sempre corrompe aqueles que a recebem, que devemos esperar de um grupo de homens preparados para reinar? Certamente é exagero confundir o Governo real com o de um bom Rei. Para que se possa saber o que esse Governo é em si mesmo, é preciso considerá-lo sob o domínio de Príncipes limitados ou maus, posto que chegaram assim ao Trono, ou o Trono os deixou assim.

Tais dificuldades não escaparam a nossos Autores, mas de forma alguma se embaraçaram com elas. Afirmam que o remédio é obedecer, sem murmúrio. Os maus Reis são dados por Deus, como resultado de sua cólera, e é preciso suportá-los como castigos do céu. Sem dúvida trata-se de um discurso edificante, mas não sei se não seria mais conveniente em uma oração do que num livro de política. O que se diria de um Médico que prometesse milagres e cuja arte fosse exortar seu doente a ter paciência? Certamente é preciso aguentar um mau Governo, quando se está sob ele; mas a questão é encontrar um bom.

Capítulo VII – Dos governos mistos

Para falar com propriedade, não há Governo simples. Um Chefe único precisa de magistrados subalternos; um Governo popular tem um Chefe. Há, dessa forma, na divisão do poder executivo uma gradação do maior número ao menor, com a diferença de que às vezes o grande número depende do pequeno, e outras vezes este depende daquele.

Algumas vezes há divisão igual: seja quando há uma dependência mútua entre as partes constitutivas, como no Governo da Inglaterra, seja quando a autoridade de cada parte é independente, mas imperfeita, como na Polônia. Esta última forma é má, pois não há qualquer unidade no Governo, faltando coesão ao Estado.

Qual é melhor, um Governo simples ou Governo misto? Essa é uma questão muito debatida entre os políticos e à qual é preciso responder com a mesma resposta que formulei mais acima sobre toda forma de Governo.

O Governo simples é o melhor em si, pelo simples fato de ser simples. Mas, quando o Poder executivo não depende muito do legislativo, ou seja, quando há mais obrigação do Príncipe em relação ao Soberano do que do Povo em relação ao Príncipe, é preciso remediar essa falha de proporção, dividindo o Governo; assim, suas partes não têm a menor autoridade sobre os súditos, e sua divisão torna-as todas juntas menos fortes em relação ao Soberano.

O mesmo inconveniente é prevenido, estabelecendo-se magistrados intermediários que, deixando o Governo íntegro, servem somente para balancear os dois Poderes e para manter seus respectivos direitos. O Governo então não será misto, mas temperado.

O inconveniente oposto pode ser remediado por meios semelhantes e, quando o Governo estiver muito fraco, erguem-se Tribunais[120] para concentrá-lo. Isso se faz em todas as Democracias. No primeiro caso, divide-se o Governo para enfraquecê-lo, e, no segundo, para reforçá-lo, pois se encontra o *maximum* de força e de fraqueza nos Governos simples, enquanto que as formas mistas têm uma força média.

Capítulo VIII – Que toda forma de governo não convém a todo país

Não sendo a liberdade um fruto de todos os Climas, não está ao alcance de todos os povos. Mais se medita sobre esse princípio estabelecido por Montesquieu[121], mais se percebe sua verdade, e quanto mais é contestado, mais se tem oportunidade de comprová-lo através de novas provas.

Em todos os Governos do mundo, a pessoa pública consome e nada produz. De onde retira então a substância consumida? Do trabalho de seus membros. É o supérfluo dos particulares que produz o necessário do público. De onde se segue que o estado civil só pode subsistir, na medida em que o trabalho dos homens render além de suas necessidades.

Ora, esse excedente não é o mesmo em todos os países do mundo. Em alguns é considerável, em outros medíocre, em alguns nulo, em outros negativo. Essa relação depende da fertilidade do clima, da espécie de trabalho que a terra exige, da natureza de suas produções, da força de seus habitantes, do maior ou menor consumo que lhes é necessário, e de muitas outras razões semelhantes de que é composta.

Por outro lado, os Governos não têm todos a mesma natureza; há os que são mais ou menos vorazes, e suas diferenças estão fundadas sobre esse outro princípio segundo o qual, quanto mais as contribuições públicas se afastam de sua fonte, mais elas se tornam onerosas. Não é pela quantidade de imposições que se deve medir esse ônus, mas pelo caminho que elas têm que percorrer para retornar às mãos de onde saíram; quando essa circulação é clara e bem-estabelecida, não importa que se pague pouco ou muito, pois o povo sempre será rico e as finanças andarão sempre bem. Ao contrário, por pouco que o Povo dê, quando esse pouco não volta para ele, a continuidade esgota-o; o Estado jamais será rico e o povo será sempre miserável.

De onde decorre que, quanto mais aumenta a distância entre o povo e o Governo, mais os tributos se tornam onerosos: assim, o povo é menos sobrecarregado na Democracia e mais na Aristocracia, arcando, na Monarquia, com o maior peso. Logo, a monarquia só convém às nações opulentas, a Aristocracia, aos Estados medíocres em riqueza e em grandeza, e a Democracia, aos Estados pequenos e pobres.

Com efeito, quanto mais se reflete a respeito, mais se percebe a diferença entre os Estados livres e os monárquicos; nos primeiros, tudo se dirige para a utilidade comum, nos outros, as forças públicas e particulares são recíprocas e uma aumenta com o enfraquecimento de outra. Finalmente, o despotismo, ao invés de governar os súditos para torná-los felizes, torna-os miseráveis para governá-los.

Eis então as causas naturais que em cada tipo de clima podem indicar a forma de Governo a que sua força pode levar, e até mesmo definir a espécie de habitantes que aí deve existir. As terras improdutivas e estéreis, onde a produção não vale o trabalho, devem permanecer incultas e desertas ou somente povoadas de Selvagens; as terras onde o trabalho dos homens produz apenas o necessário devem ser habitadas por povos bárbaros, pois aí toda polícia[122] seria impossível; as terras onde o excedente do produto sobre o trabalho é medíocre convém aos povos livres; aqueles onde o território abundante e fértil gera muitos produtos com pouco trabalho querem ser governados monarquicamente, para poderem consumir através do luxo do Príncipe o excesso do supérfluo dos súditos, pois vale mais que esse excesso seja absorvido pelo governo do que dissipado pelos particulares. Há exceções, eu sei, mas as próprias exceções confirmam a regra, por produzirem, cedo ou tarde, revoluções que recolocam as coisas na ordem natural.

É preciso distinguir sempre as leis gerais das causas particulares que podem modificar o seu efeito. Ainda que todo o sul estivesse coberto de Repúblicas e todo o norte de Estados despóticos, não seria menos verdade que por influência do clima o despotismo convém às regiões quentes, a barbárie às frias, e a boa polícia às regiões intermediárias. É possível ainda que, estando-se de acordo quanto ao princípio, possa-se discordar quanto à aplicação: poderá dizer-se que há regiões frias muito férteis e regiões meridionais pouco compensadoras. Mas essa é apenas uma das dificuldades para aqueles que não examinam as coisas em todas as suas relações. É preciso, como já disse, levar em conta as relações dos trabalhos, das forças, do consumo etc.

Suponhamos que entre dois terrenos iguais um renda cinco e o outro dez. Se os habitantes do primeiro consomem quatro e os do último nove, o excesso do primeiro produto será 1/5 e do segundo 1/10. A relação desses dois excedentes, sendo o inverso da dos produtos, o terreno que produzir só cinco apresentará o dobro do supérfluo daquele terreno que produzir dez.

Mas, não se trata de uma produção em dobro, e não creio que alguém ouse colocar, em geral, a fertilidade das regiões frias sequer em igualdade com a das regiões quentes. Entretanto, suponhamos essa igualdade; coloquemos na balança, se assim se quiser, a Inglaterra com a Sicília e a Polônia com o Egito. Mais para o sul temos a África e as Índias, mais ao norte não temos nada. Qual a diferença que acarreta na cultura essa igualdade de produto? Na Sicília basta apenas rastelar a terra, enquanto que, na Inglaterra, quanto esforço é necessário para trabalhá-la! Ora, onde são necessários mais braços para obter-se o mesmo produto, o supérfluo deve ser necessariamente menor.

Além disso, é preciso considerar que a mesma quantidade de homens consome bem menos em países quentes. Aí, o clima exige que se esteja sóbrio para que se possa passar bem: os Europeus que querem viver nessas regiões como nas suas morrem todos de disenteria e de indigestões. Somos, afirma Chardin[123], *animais carnívoros, lobos, em comparação aos Asiáticos. Alguns atribuem a sobriedade dos Persas ao fato de seu país ser menos cultivado, e eu – ao contrário – penso que o país é menos abundante em víveres, porque se necessita menos para os habitantes. Se sua frugalidade* – continua o autor – *fosse um efeito da escassez da região, só os pobres comeriam pouco e não todos, como geralmente acontece, e se comeria mais ou menos em cada província, de acordo com a fertilidade do lugar, e no entanto o que se encontra por todo o reino é a mesma sobriedade. Eles se gabam muito de sua maneira de viver, afirmando que basta olhar sua tez para ver como ela é melhor que a dos cristãos. De fato, a tez dos Persas é uniforme; têm a pele bonita, fina e brilhante, enquanto que a dos Armênios – seus súditos que vivem na Europa – é rude, cheia de acne e seus corpos são gordos e pesados.*

Mais nos aproximamos da linha do Equador, mais os povos vivem com pouco. Quase não comem carne; o arroz, o milho, o cuscuz, o sorgo, a farinha de mandioca são os seus alimentos comuns. Há nas Índias milhões de homens cuja alimentação não custa uma moeda por dia. Mesmo na Europa vemos diferenças sensíveis quanto ao apetite, entre os povos do norte e os do sul. Um Espanhol viveria oito dias com o jantar de um alemão. Nos países onde os homens são mais vorazes, o luxo se volta também para os artigos de consumo: na Inglaterra, isso é demonstrado através de uma mesa cheia de carnes; na Itália, somos regalados com açúcar e flores.

O luxo das roupas também apresenta diferenças semelhantes. Nos climas onde as mudanças de estações são abruptas e violentas, as roupas são melhores e mais simples; naqueles onde as pessoas se vestem apenas para enfeitar-se, procura-se mais o brilho que a utilidade, e as próprias roupas são um luxo. É possível ver diariamente em Nápoles homens passeando no Posílipo[124] com jaqueta dourada e sem meias. A mesma coisa acontece com as residências: incentiva-se a magnificência, quando nada se tem a temer das inclemências atmosféricas. Em Paris e em Londres, deseja-se morar comodamente e em lugares aquecidos. Em Madri, temos salões soberbos, mas não há janelas que fecham, e dorme-se em ninhos de ratos.

Os alimentos são muito mais substanciais e suculentos nas regiões quentes, sendo essa uma terceira diferença que não pode deixar de influir sobre a segunda. Por que se comem tantos legumes na Itália? Porque os que aí se originam são bons, nutritivos, com gosto excelente. Na França, onde só vivem de água, quase não alimentam e possuem pouco valor nas mesas; entretanto, não ocupam menos terreno e nem são mais fáceis de cultivar. É uma experiência comprovada que os grãos do interior da Barbaria[125], em princípio inferiores aos da França, produzem mais em farinha, e os da França, por sua vez, produzem mais que os do Norte. Pode-se inferir daí que se observa semelhante gradação na mesma direção da linha do Equador ao polo. Ora, não é uma clara desvantagem ter em um mesmo produto uma quantidade menor de alimento?

É possível acrescentar a essas diferentes considerações uma outra que decorre delas e que as reforça: as regiões quentes têm menos necessidade de habitantes que as frias e podem tirar vantagem disso, produzindo supérfluo em dobro, o que sempre favorece o despotismo. Quanto mais o mesmo número de habitantes ocupa uma grande superfície, mais se tornam difíceis as revoltas, uma vez que não se pode deliberar nem prontamente nem de forma secreta, sendo sempre fácil ao Governo descobrir os projetos e cortar as comunicações. Mas, quanto mais um povo numeroso se agrega, menos o Governo pode usurpar o Soberano; assim, os chefes deliberam tão seguramente nos seus aposentos quanto o Príncipe no seu conselho, e a multidão se reúne tão prontamente nas praças quanto as tropas nos quartéis. Nesse caso, a vantagem de um Governo tirânico está em poder agir a grandes distâncias. Com a ajuda dos seus pontos de apoio, sua força aumenta ao longe como a das alavancas[v]. Ao contrário, a do povo só age, quando concentrada, evapora-se e perde-se, quando procura estender-se como o efeito da pólvora espalhada sobre a terra e que só queima grão a grão.

Os países menos povoados são assim os mais próprios à Tirania: as bestas ferozes só reinam nos desertos[126].

Capítulo IX – Dos indícios de um bom governo

Quando se pergunta de forma absoluta qual é o melhor Governo, formula-se uma pergunta tão insolúvel quanto indeterminada; ou então, tem tantas soluções boas quantas combinações possíveis há nas posições absolutas e relativas dos povos.

Mas, outra coisa é perguntarmos qual é o sinal que pode indicar se um povo é bem ou mal governado: esta é uma questão que pode ser resolvida.

Entretanto, não é resolvida de forma alguma, porque cada um quer resolvê-la à sua maneira. Os súditos exaltam a tranquilidade pública, os Cidadãos a liberdade dos particulares; um prefere a segurança das posses, e o outro, a das pessoas; um quer que o melhor Governo seja o mais severo, o outro defende que é o mais brando; este quer que se punam os crimes, aquele que eles sejam prevenidos; um acha bom que se seja temido pelos vizinhos, o outro prefere que se seja ignorado; um fica contente quando o dinheiro circula, o outro exige que o povo tenha pão. Ainda que estivéssemos em acordo quanto a esses pontos e a outros semelhantes, teríamos avançado? Mesmo estando de acordo quanto ao critério, como poderíamos estar quanto à sua avaliação, posto que não há medida exata quanto às matérias morais?

A mim assusta sempre que se desconheça um sinal tão simples ou que se tenha a má-fé de não se concordar a seu respeito. Qual é o objetivo da associação política? E a conservação e a prosperidade de seus membros[127]. E qual é o sinal mais seguro de que eles se conservam e prosperam? É o seu número e a sua população[128]. Não é preciso então procurar fora esse sinal tão disputado. É sempre igual: o Governo, sob o qual, sem meios externos, sem naturalizações, sem colônias, os Cidadãos povoam e se multiplicam, é sem dúvida o melhor; aquele sob o qual um povo diminui e empobrece, é o pior. Calculadores, agora é vossa tarefa; contai, medi e comparai[x].

Capítulo X – Do abuso do governo e de sua tendência a degenerar

Assim como a vontade particular age sem cessar contra a vontade geral, também o Governo faz um esforço contínuo contra a Soberania. Quanto mais esse esforço aumenta, mais a constituição se altera, e como não há outra vontade de corpo que, resistindo à do Príncipe, equilibre-se com ela, cedo ou tarde acontece que o Príncipe oprima o Soberano e rompa o tratado social. Esse é o vício inerente e inevitável que desde o nascimento do corpo político tende sempre a destruí-lo, da mesma forma que a velhice e a morte destroem o corpo do homem.

Há duas formas pelas quais um Governo degenera, a saber: quando ele se fecha sobre si mesmo ou quando o Estado se dissolve.

O Governo se fecha, quando passa do grande número ao pequeno, ou seja, da Democracia à Aristocracia e da Aristocracia à Realeza. Essa é sua inclinação natural[y]. Se ele retrocedesse do pequeno número ao maior, poder-se-ia dizer que ele afrouxa, mas esse progresso inverso é impossível.

Com efeito, o Governo não muda nunca de forma a não ser quando seu modelo está por demais enfraquecido para poder mantê-la. Ora, se ao distender-se se afrouxasse ainda mais, sua força se tornaria nula e ele subsistiria ainda menos. É necessário então reforçar e firmar a base, à medida que ela cede; de outra forma, o Estado que ela sustenta ruirá[135].

O caso da dissolução do Estado pode dar-se de duas maneiras.

Primeiramente, quando o Príncipe não administra mais o Estado segundo as leis e usurpa o poder soberano. Dá-se então uma mudança fundamental: não mais o Governo, mas o Estado se fecha; quero dizer com isso que o grande Estado se dissolve e se forma um outro dentro desse, composto apenas pelos membros do Governo, e que em relação ao restante do Povo não passa de seu mestre e seu tirano. De sorte que, no instante em que o Governo usurpa a soberania, o pacto social rompe-se e todos os simples Cidadãos, que por direito voltaram à sua liberdade natural, são forçados, mas não obrigados a obedecer.

O mesmo caso acontece, quando os membros do Governo usurpam separadamente o poder, que devem exercer apenas enquanto corpo, o que não representa uma infração menor das leis, e produz uma desordem ainda maior. Temos, por assim dizer, tantos Príncipes quanto Magistrados, e o Estado, não menos dividido que o Governo, perece ou muda de forma[136].

Quando o Estado se dissolve, qualquer que seja o abuso do Governo, toma o nome de *anarquia*. De forma diversa, a Democracia degenera em *Oclocracia*, a Aristocracia em *Oligarquia*; acrescentaria ainda que a Realeza degenera em *Tirania*, mas esse nome é equivocado e precisa de explicação.

No sentido vulgar, um Tirano é um Rei que governa com violência e sem respeito à justiça e às leis. No sentido exato, um Tirano é um particular que se arroga a autoridade real, sem ter direito a ela. Era assim que os Gregos entendiam a palavra Tirano[137]; era aplicada indiferentemente aos bons e aos maus Príncipes cuja autoridade não era legítima[w]. Dessa forma, *Tirano* e *usurpador* são duas palavras perfeitamente sinônimas.

Para atribuir nomes diferentes a coisas diferentes, chamo *Tirano* ao usurpador da autoridade real, e *Déspota* ao usurpador do poder Soberano. O Tirano é aquele que se insurge contra as leis para governar segundo as leis; o Déspota é aquele que se coloca acima das próprias leis. Assim, o Tirano pode não ser Déspota, mas o Déspota é sempre Tirano.

Capítulo XI – Da morte do corpo político

Essa é a tendência natural e inevitável mesmo dos Governos melhor constituídos. Que Estado pode esperar durar sempre, se Atenas e Roma pereceram? Se queremos formar uma instituição durável, não sonhemos então em torná-la eterna. Para se obter bom resultado não é necessário tentar o impossível, ou se iludir, querendo dar à obra dos homens uma solidez que as coisas humanas não comportam[139].

O corpo político, tanto quanto o corpo humano, começa a morrer desde que nasce e traz em si mesmo as causas de sua destruição. Mas tanto um quanto outro podem ter uma constituição mais ou menos forte e capaz de conservá-los por mais ou menos tempo. A constituição do homem é obra da natureza, a do Estado é obra de arte. Não depende dos homens prolongar sua vida, mas depende deles prolongar a do Estado o máximo possível, dando-lhe a melhor constituição que possa ter. Aquele melhor constituído chegará a um fim, mas mais tarde do que qualquer outro, se algum acidente imprevisível não ameaçar seu desaparecimento antes do tempo.

O princípio da vida política está na autoridade Soberana. O poder legislativo é o coração do Estado, o poder executivo é o seu cérebro, que dá movimento a todas as partes. O cérebro pode ficar paralisado e o indivíduo continuar a viver ainda. Um homem se torna imbecil e continua vivo: mas assim que o coração cessa suas funções, o animal morre.

Portanto, não é através das leis que o Estado sobrevive, mas por meio do poder legislativo. A lei antiga não causa obrigação hoje, mas o silêncio implica consentimento tácito, e, em resumo, que o Soberano confirma constantemente as leis que ele não revogou, podendo fazê-lo. Tudo que ele declarou querer um dia, a menos que seja revogado, vale para sempre.

Por que então se tem tanto respeito pelas antigas leis? Justamente por sua própria antiguidade. Devemos acreditar que só a excelência das vontades de outrora conservou-as tanto tempo. Se o Soberano não as reconhecesse constantemente salutares, ele as teria revogado mil vezes. Aí está a razão pela qual as leis, ao invés de enfraquecerem, adquirem sem cessar uma nova força em todo Estado bem constituído; o rótulo antecipado de antiguidade torna-as cada vez mais respeitadas, enquanto que onde as leis, ao envelhecer, enfraquecem, isso prova que não existe mais poder legislativo e que o Estado não está mais vivo.

Capítulo XII – Como se mantém a autoridade soberana

O Soberano, não tendo outra força que não seja o poder legislativo, age apenas através das leis, e sendo as leis atos autênticos da vontade geral, o Soberano só age, quando o povo está reunido. O povo reunido – diz-se! Que quimera! Hoje é uma quimera, mas não o era há dois mil anos: Os homens mudaram de natureza?

Os limites do possível nos assuntos morais são menos estreitos do que pensamos: são nossas fraquezas, nossos vícios, nossos preconceitos que os estreitam. As almas pequenas não acreditam nos grandes homens; como são vis escravos, sorriem com escárnio ao som da palavra liberdade.

Consideremos, pelo que se fez, aquilo que se poderia fazer. Não falarei das antigas repúblicas da Grécia, mas a República romana, ao que me parece, era um grande Estado, e a cidade de Roma uma grande cidade. O último Censo registrou em Roma quatrocentos mil Cidadãos portadores de armas, e o último recenseamento do Império, mais de quatro milhões de Cidadãos, sem contar os súditos, os estrangeiros, as mulheres, as crianças e os escravos.

Pode-se imaginar como era difícil reunir frequentemente o imenso povo dessa capital e de seus arredores? No entanto, poucas semanas se passaram, sem que o povo romano fosse reunido e até mesmo muitas vezes; ele não exercia apenas os direitos de soberania, mas uma parte dos direitos do Governo. Tratava de certos assuntos, julgava certas causas e todo esse povo era frequentemente, na praça pública, tão magistrado quanto Cidadão.

Remontando-se aos primórdios das Nações, é possível perceber que a maior parte dos antigos governos – mesmo os monárquicos, como os Macedônios e os Francos – tinha Conselhos semelhantes. Seja como for, esse único fato responde a todas as dificuldades, e me parece razoável passar do existente ao possível.

Capítulo XIII – Continuação

Não é suficiente que o povo reunido tenha uma vez fixado a constituição do Estado, sancionando um corpo de leis; não é suficiente que tenha estabelecido um governo perpétuo ou que tenha promovido, de uma vez por todas, a eleição dos magistrados. Além das assembleias extraordinárias que os casos imprevistos podem exigir, é necessário que existam outras fixas e periódicas[140] que nada possa abolir ou adiar, de tal forma que no dia marcado o povo seja legitimamente convocado pela lei sem que para isso seja necessária alguma outra convocação formal.

Mas, além dessas assembleias, jurídicas pela sua data, deverá ser considerada ilegítima e todas as suas decisões anuladas, toda assembleia do Povo que não tenha sido convocada pelos magistrados indicados para essa tarefa e segundo as formas prescritas, porque a própria ordem de se reunir deve emanar da lei. Quanto à periodicidade mais ou menos frequente das assembleias legítimas, essa depende de tantas considerações que não saberia estabelecer sobre isso regras precisas. Em geral, apenas se pode dizer que, quanto mais o Governo tem força, mais o Soberano deve com frequência se fazer presente.

Alguém poderá dizer que isso pode ser bom para uma cidade, mas como agir quando o Estado é formado por várias? Deve-se dividir a autoridade soberana ou concentrá-la numa única cidade e submeter a ela todo o restante?

Afirmo que não se deve fazer nem uma nem outra coisa. Em primeiro lugar, a autoridade Soberana é simples e una e não se pode dividi-la sem destruí-la. Em segundo, uma cidade, assim como uma Nação, não pode estar legitimamente submetida a uma outra, pois a essência do corpo político reside no acordo entre a obediência e a liberdade, e as palavras súdito e soberano são correlações idênticas, cuja ideia se reúne apenas sob a palavra Cidadão.

Afirmo ainda que é um erro unir várias cidades em uma única cidade e que, querendo-se fazer essa união, não nos devemos vangloriar de por meio dela evitar os inconvenientes naturais.

Não se trata, absolutamente, de objetar, com o abuso dos grandes Estados, àquele que somente os quer pequenos; mas, como dar aos pequenos Estados força suficiente para resistir aos grandes?[141] Da mesma forma como outrora as cidades gregas resistiram ao grande Rei, e como mais recentemente a Holanda e a Suíça resistiram à casa da Áustria.

Entretanto, se não se pode reduzir o Estado a limites justos, ainda há um recurso, que é de não fixar a capital, de fazer o Governo residir alternadamente em cada cidade, reunindo assim em forma de rodízio todos os Estados do país.

Povoai igualmente todo o território, estendei por todo ele os mesmos direitos, levai a toda parte a abundância e a vida: assim o Estado se tornará ao mesmo tempo o mais forte e o mais bem governado possível. Lembrai-vos que os muros das cidades só se formam com os destroços das casas do campo. Para cada Palácio que vejo erguer na capital, creio ver em mazelas toda uma região[142].

Capítulo XIV – Continuação

No momento em que o Povo se encontra legitimamente reunido no corpo Soberano, cessa toda jurisdição do Governo[143], suspende-se o poder executivo, e a pessoa do último Cidadão é tão sagrada e inviolável quanto a do primeiro Magistrado, porque onde se encontra o Representado não há mais Representante. A maior parte dos tumultos que aconteceram em Roma durante os comícios resultou de se ter ignorado ou negligenciado essa regra. Os Cônsules, então, nada mais eram do que os Presidentes do povo, os Tribunos eram simples Oradores[z], e o Senado não era absolutamente nada.

Esses intervalos de suspensão durante os quais o Príncipe reconhecia ou deveria reconhecer um superior atual sempre pareceram perigosos, e essas assembleias do povo, que são a proteção do corpo político e o freio do Governo, foram sempre o horror dos chefes; por isso nunca pouparam apreensões, objeções, dificuldades e promessas para dissuadir os Cidadãos de realizá-las. Quando esses são avaros, lascivos, pusilânimes, mais amantes do descanso do que da liberdade, não se opõem por muito tempo aos esforços redobrados do Governo. É assim que a força de resistência aumenta sem cessar, por fim a autoridade Soberana desfalece, e a maior parte das cidades desmorona e perecem antes do tempo.

Mas, algumas vezes se introduz um poder médio entre a autoridade Soberana e o Governo arbitrário, do qual é necessário falar.

Capítulo XV – Dos deputados ou representantes

Desde que o serviço público deixa de ser a principal atividade dos Cidadãos, preferindo antes servir com sua bolsa do que com sua pessoa, o Estado já está perto de sua ruína. É necessário participar de um combate? Pagaram as tropas e ficam nas suas casas. É necessário ir ao Conselho? Nomeiam Deputados e permanecem em suas casas. Às custas da preguiça e do dinheiro terão finalmente soldados para escravizar a pátria e representantes para vendê-la.

É a confusão do comércio e das artes, é o ávido interesse do ganho, é a moleza e o amor pelas comodidades que trocam os serviços pessoais pelo dinheiro. Cede-se uma parte de seu lucro, para aumentá-lo como lhe aprouver. Dai dinheiro e logo tereis grilhões. A palavra *finança* é uma palavra de escravos, não sendo conhecida na Cidade. Em um Estado verdadeiramente livre, os Cidadãos fazem tudo com os braços e nada com o dinheiro: ao invés de pagarem para se isentarem de seus deveres, pagarão para poderem cumpri-los por si mesmos. Distancio-me bastante das ideias comuns, pois considero que as corveias[145] são menos contrárias à liberdade do que as taxas.

Quanto melhor constituído for o Estado, mais os negócios públicos se sobrepõem aos privados no espírito dos Cidadãos. Haverá até um número menor de assuntos privados, uma vez que a soma da felicidade comum, contribuindo com uma parte considerável para a felicidade de cada indivíduo, este passa a se interessar menos em procurá-la nas atribulações particulares. Em uma cidade bem conduzida, todos correm para as assembleias; sob um mau Governo, ninguém se interessa por dar um passo até elas, porque ninguém se importa com o que aí acontece, prevendo-se que a vontade geral não prevalecerá, e porque os afazeres domésticos absorvem o restante. As boas leis contribuem para fazer outras melhores, as más conduzem às leis piores. Quando alguém disser dos negócios do Estado, *que me importa?* pode-se ter certeza de que o Estado está perdido.

O enfraquecimento do amor à pátria, a ação do interesse privado, a imensidão dos Estados, as conquistas, o abuso do Governo podem nos fazer imaginar a conduta dos Deputados ou Representantes do povo nas assembleias da Nação. É a isso que em alguns países se ousa chamar Terceiro Estado[146]. Assim, coloca-se o interesse particular das duas ordens[147] em primeiro e em segundo lugar, ficando o interesse público em terceiro.

A Soberania não pode ser representada, pela mesma razão, porque não pode ser alienada, consistindo essencialmente na vontade geral, e a vontade não se faz absolutamente representar: ela é a mesma ou é outra, não havendo meio-termo. Logo, os deputados do povo não são nem podem ser seus representantes, são apenas seus comissários, não podem concluir nada definitivamente. Toda lei que não foi ratificada pelo Povo em pessoa, é nula; não é de forma alguma uma lei. O povo Inglês julga ser livre; engana-se redondamente, pois só durante a eleição dos membros do Parlamento ele é livre; tão logo eles são eleitos, é um escravo, não é nada. O uso que fez de sua liberdade nos curtos momentos que a teve, bem justifica que a perca.

A ideia de Representantes é moderna; vem-nos do Governo feudal, deste iníquo e absurdo Governo no qual a espécie humana se degrada e onde o nome de homem é desonrado[148]. Nas antigas Repúblicas e mesmo nas monarquias jamais o Povo teve representantes, essa palavra era desconhecida. É muito curioso que em Roma, onde os Tribunos eram tão reverenciados, não se tenha imaginado que eles pudessem usurpar as funções do povo, e que em meio a tão grande multidão jamais tenham tentado decidir por conta própria em um único Plebiscito. No entanto, é possível imaginar o embaraço que causava a multidão no tempo dos Gracos, quando uma parte dos Cidadãos dava seu sufrágio do alto dos telhados.

Os inconvenientes nada significam onde o direito e a liberdade são tudo. Entre esse povo sábio tudo estava colocado na sua justa medida: deixavam que seus Litores fizessem aquilo que seus Tribunos não ousavam fazer; não acreditavam que seus Litores quisessem representá-los.

Entretanto, para explicar como os Tribunos o representavam algumas vezes, basta conceber como o Governo representa o Soberano. Se a Lei nada mais é do que a declaração da vontade geral, fica claro que o Povo não pode ser representado no poder Legislativo, mas pode e deve sê-lo no poder executivo, que é a força aplicada à Lei. Isso nos mostra que, examinando bem as coisas, veremos que poucas Nações têm leis. De qualquer modo, o certo é que não participando os Tribunos do poder executivo, jamais puderam representar o Povo romano através dos direitos dos seus cargos, a não ser usurpando os do Senado[149].

Entre os Gregos, tudo que o Povo tinha que fazer, fazia-o por si mesmo, estando constantemente reunido na praça. Tinham um clima ameno, não eram ávidos, os escravos faziam seus trabalhos, sua grande preocupação era sua liberdade. Como podiam conservar os mesmos direitos, se não tinham as mesmas vantagens? Vossos climas mais rudes acarretam mais necessidades[a], durante seis meses por ano a praça pública não pode ser usada, vossas línguas insonoras não podem ser entendidas ao ar livre, preferis o vosso dinheiro à vossa liberdade e temeis menos a escravidão do que a miséria.

Qual! A liberdade só se mantém com o apoio da servidão? Talvez. Os dois opostos se tocam. Tudo que não é natural tem seus inconvenientes, e a sociedade civil mais do que todo o resto. Tais posições infelizes como essas estabelecem-se onde só se pode conservar sua liberdade às expensas de outrem, e onde o Cidadão só é perfeitamente livre, enquanto o escravo é extremamente escravo. Essa era a posição de Esparta. Entre vós, povos modernos, não há escravos, mas vós os sois; pagais a liberdade deles com a vossa. Acreditais que é certo glorificar essa preferência; penso que há nisso mais vileza do que humanidade.

Não concluo de tudo isso que é necessário haver escravos nem que o direito de escravidão é legítimo, pois provei o contrário. Apenas me referi às razões pelas quais os povos modernos, que se acreditam livres, têm Representantes, e porque os povos antigos não os tinham. De qualquer modo, um Povo não é mais livre a partir do instante em que se dá Representantes: ele não mais existe.

Depois de tudo bem examinado, não vejo como é possível, de agora em diante, o Soberano conservar entre nós o exercício de seus direitos, se a Cidade não for muito pequena. Mas, se ela é muito pequena, ela será subjugada? Não. Demonstrarei em outro lugar[b'] como se pode reunir o poder exterior de um grande Povo com a polícia natural e a boa ordem de um pequeno Estado[150].

Capítulo XVI – Que a instituição do governo não é absolutamente um contrato

Uma vez bem estabelecido o poder Legislativo, trata-se de estabelecer em seguida o poder executivo; pois este último, como opera apenas por atos particulares, e sendo a essência do outro, está naturalmente separado dele. Se fosse possível que o Soberano, considerado como tal, tivesse o poder executivo, o direito e o fato ficariam de tal forma confundidos, que não mais se saberia o que é a lei e o que não é; e o corpo político, desnaturado dessa forma, seria uma presa da violência contra a qual ele foi instituído.

Sendo todos os Cidadãos iguais pelo contrato social, aquilo que todos devem fazer, todos podem prescrever, ao passo que ninguém tem direito de exigir que outro faça aquilo que ele próprio não faz. Ora, é esse direito, indispensável para fazer viver e mover o corpo político, que de fato o Soberano dá ao Príncipe, ao instituir o Governo.

Muitos[151] pretenderam que o ato desse estabelecimento fosse um contrato entre o Povo e os chefes que ele se atribui; contrato pelo qual se estabelecem entre as duas partes as condições sob as quais uma se obriga a comandar e a outra a obedecer. Convenhamos, estou certo, em que essa é uma estranha maneira de contratar! No entanto, vejamos se essa opinião é sustentável.

Primeiramente, a autoridade suprema não pode nem modificar-se nem alienar-se; limitá-la seria destruí-la. É absurdo e contraditório que o Soberano se atribua um superior; obrigar-se a obedecer a um senhor é entregar-se em plena liberdade[152].

Além do mais, é evidente que esse contrato do povo com tais ou tais pessoas é apenas um ato particular. De onde se segue que esse contrato não poderia ser nem uma lei nem um ato de soberania, e que em consequência seria ilegítimo.

Pode-se acrescentar ainda que as partes contratantes estariam apenas sob a lei da natureza e sem nenhuma garantia de seus compromissos recíprocos, o que é totalmente avesso ao estado civil. Aquele que tem a força nas mãos, sendo sempre o senhor da execução, quererá dar o nome de contrato ao ato de um homem que dirá a um outro: "Eu vos dou todos os meus bens na condição de que vós me entregueis tudo que vos agradar".

Só há um contrato no Estado: o de associação, e este exclui qualquer outro. É impossível imaginar qualquer Contrato público que não fosse uma violação do primeiro[153].

Capítulo XVII – Da instituição do governo

Então, à luz de que ideia se precisará conceber o ato pelo qual o Governo é instituído? É importante assinalar de início que esse ato é complexo, ou composto de dois outros, a saber: o estabelecimento da lei e a execução da lei.

Através do primeiro, o Soberano determina que haverá um corpo de Governo estabelecido sob esta ou aquela forma; é evidente que este ato é uma lei.

Por meio do segundo, o Povo nomeia os chefes que estarão encarregados do Governo estabelecido. Ora, sendo esta nomeação um ato particular, não é uma segunda lei, mas apenas uma continuação da primeira e uma função do Governo.

A dificuldade consiste em compreender como se pode ter um ato de Governo antes que o Governo exista, e como o Povo, que só é Soberano ou súdito, pode tornar-se Príncipe ou Magistrado em determinadas circunstâncias.

Ainda nesse ponto se descobre uma das qualidades mais influentes dos corpos políticos, pelas quais se conciliam operações aparentemente contraditórias. Isso é possível através de uma conversão súbita da Soberania em Democracia, de tal forma que sem nenhuma mudança significativa e apenas através de uma nova relação de todos com todos, os Cidadãos transformados em Magistrados passam das ações gerais às ações particulares, e da lei à execução[154].

Essa mudança de relação não é absolutamente uma sutileza de especulações, sem exemplo na prática: ela acontece diariamente no Parlamento da Inglaterra, onde a Câmara Baixa transforma-se em grande Comitê, durante algumas ocasiões, para melhor discutir seus negócios, passando assim de Corte Soberana, que era no momento anterior, a simples comissão; de tal forma que em seguida relaciona-se consigo mesma como Câmara dos Comuns, que ela acabou de regulamentar enquanto grande Comitê, e passa então a deliberar novamente sob um título aquilo que ela já deliberou sob outro.

Tal é a vantagem característica do Governo Democrático, poder ser estabelecido de fato por um ato da vontade geral. Depois disso, esse Governo permanece na posse, caso seja essa a forma adotada, ou é estabelecido em nome do Soberano o Governo prescrito pela lei, e tudo caminha como deveria ser. Não é possível instituir o Governo de nenhuma outra forma legítima e sem renunciar aos princípios acima estabelecidos.

Capítulo XVIII – Meio de prevenir as usurpações do governo

Confirmando o capítulo XVI, resulta desses esclarecimentos que o ato que institui o Governo não é um contrato, mas uma Lei, que os depositários do poder executivo não são de forma alguma os senhores do povo, mas seus funcionários, que ele pode estabelecê-los e destituí-los quando lhe agradar, que não devem contratar, mas obedecer, e que, ao se encarregarem das funções que o Estado lhes impõe, nada mais fazem que desempenhar seu dever de Cidadãos, sem terem absolutamente nenhum direito de questionar as condições.

No entanto, quando se trata da instituição de um Governo hereditário por parte do Povo, seja monárquico em uma família, seja aristocrático em uma ordem de Cidadãos, não se trata absolutamente de um compromisso, trata-se de uma forma provisória que é dada à administração, até que lhe agrade ordenar outra diferente.

É verdade que essas mudanças são sempre perigosas e que só se deve mudar o Governo estabelecido quando ele se torna incompatível com o bem público; mas essa circunspecção é uma máxima de política e não uma regra de direito, e o Estado não está mais obrigado a entregar a autoridade civil para seus chefes do que a autoridade militar para seus Generais.

Também é verdade que, nesses casos, não é possível observar todas as finalidades necessárias para distinguir um ato regular e legítimo de um tumulto sedicioso, e a vontade de todo um povo, dos clamores de uma turba. É sobretudo aqui que não se deve dar ao caso odioso[155] senão aquilo que não se lhe pode recusar em todo rigor do direito, e é assim dessa obrigação que o Príncipe tira uma grande vantagem para conservar seu poder em detrimento do povo, sem que se possa dizer que ele foi usurpado, pois, parecendo usar apenas seus direitos, é bem fácil estendê-los e impedir as assembleias públicas destinadas a restabelecer a boa ordem, sob o pretexto da tranquilidade pública; de tal forma que ele se favorece do silêncio do qual impede o rompimento, ou das irregularidades que ele faz cometer, para supor em seu favor a aprovação daqueles que o medo faz calar, e para punir aqueles que ousam falar. Era assim que os Decênviros, tendo sido a princípio eleitos por um ano, tentaram reter e perpetuar seu poder, não mais permitindo aos comícios reunirem-se; e é por esse meio fácil que todos os governos do mundo, uma vez revestidos da força pública, usurpam cedo ou tarde a autoridade Soberana.

As assembleias periódicas, de que falei mais acima[156], servem para prevenir ou diferenciar essa falha, sobretudo quando não têm necessidade de uma convocação formal; o Príncipe então não saberá impedi-las, sem se declarar abertamente infrator das leis e inimigo do Estado.

A abertura dessas assembleias, que só têm por objeto a manutenção do tratado social, deve-se fazer sempre por meio de duas proposições que não se podem suprimir e que passam separadamente pelos sufrágios.

A primeira: *se agrada ao Soberano conservar a presente forma do Governo.*

A segunda: *se agrada ao Povo deixar a administração com aqueles que estão atualmente encarregados dela.*

Estou supondo aqui aquilo que acredito ter demonstrado, a saber, que não existe no Estado nenhuma lei fundamental que não possa ser revogada, nem mesmo o pacto social: pois se todos os Cidadãos se reúnem para romper esse pacto de comum acordo, não se pode duvidar de que ele não tenha sido legitimamente rompido. Grotius[157] chega mesmo a afirmar que cada um pode renunciar ao Estado do qual é membro, retomando sua liberdade natural e seus bens, ao sair do país[c]. Ora, seria absurdo que todos os Cidadãos juntos não pudessem aquilo que cada um deles pode separadamente.

Livro IV

Capítulo I – Que a vontade geral é indestrutível[158]

Quando muitos homens reunidos se consideram como um único corpo, têm uma única vontade, que diz respeito à conservação de todos e ao bem-estar geral. Então, todas as relações do Estado são rigorosas e simples, suas máximas são claras e transparentes, não há interesses confusos ou contraditórios; o bem comum evidencia-se por toda parte e só precisa de bom-senso para ser percebido. A paz, a união, a igualdade são inimigas das sutilezas políticas. Os homens retos e simples são difíceis de enganar, em razão de sua simplicidade; não se deixam impressionar pelas astúcias, pelos pretextos sutis; nem mesmo chegam a ser suficientemente perspicazes para serem tolos. Quando se observam entre o povo mais feliz do mundo[159] grupos de camponeses, dirigindo os negócios do Estado sob um carvalho e conduzindo-se sabiamente, é possível não desprezar os refinamentos das outras nações, que se tornaram ilustres e miseráveis com tanta arte e mistérios?

Um Estado governado dessa forma precisa muito pouco de Leis, necessidade que se evidencia, à medida que é preciso promulgar novas leis. O primeiro que as propõe só faz proferir aquilo que todos já sentiram, e não é preciso nem brigas nem eloquência para fazer aprovar como lei aquilo que cada um já decidiu fazer, desde que esteja certo de que os outros farão como ele.

O que engana os pensadores é que, não vendo senão Estados malconstituídos desde sua origem, chocam-se com a impossibilidade de manter sua organização. Riem só de imaginar todas as besteiras com que um impostor esperto, um orador insinuante poderiam persuadir o povo de Paris ou de Londres. Não sabem que Cromwell poderia ser colocado sob os sinos pelo povo de Berna, e o Duque de Beaufort, disciplinado pelos Genebrinos[160].

Mas, quando a coesão social começa a afrouxar e o Estado a enfraquecer, quando começam a prevalecer os interesses particulares e as pequenas sociedades a influírem sobre a grande[161], o interesse comum se altera e ganha opositores, não há mais unanimidade de votos, a vontade geral não é mais a vontade de todos, surgem contradições, debates, e o melhor plano não passa sem discussão.

Finalmente, quando o Estado, já perto de sua ruína, só subsiste de forma ilusória e vã, quando o liame social já se rompeu nos corações, quando o mais vil interesse apodera-se descaradamente do sagrado nome do bem público, aí a vontade geral emudece, e todos, guiados por motivos secretos, não opinam mais como Cidadãos, como se o Estado jamais tivesse existido, e de forma fraudulenta se fazem aprovar, sob o nome de Leis, decretos iníquos que só têm por objetivo o interesse particular.

O que se pode concluir daí é que a vontade geral está anulada ou corrompida? Nem uma coisa nem outra; ela é sempre constante, inalterada e pura, mas está subordinada a outras que se sobrepõem a ela. Cada um, separando seu interesse do interesse comum, sabe muito bem que não pode fazê-lo completamente; no entanto, sua parte do mal público não lhe parece nada, perto do bem exclusivo de que pretende apropriar-se[162]. Excetuando-se esse bem particular, quer muito mais o bem geral para seu interesse do que qualquer outro. Mesmo vendendo seu voto a preço de prata, não apaga nele a vontade geral, apenas a oculta. A falta que ele comete é trocar a natureza da questão e responder outra coisa diversa da que lhe foi perguntada, de maneira que, ao invés de dizer através do seu voto *é vantajoso para o Estado, ele afirma, é vantajoso para tal homem ou tal partido que tal ou qual proposta seja aprovada.* Assim, a lei da ordem pública nas assembleias não está tanto em nelas manter a vontade geral, mas em fazer com que seja sempre consultada e que sempre se manifeste.

Teria muitas reflexões mais a fazer aqui sobre o simples direito de votar em todo ato de soberania, direito que não se pode negar aos Cidadãos, e sobre o de opinar, propor, dividir, discutir, que o Governo tem sempre cuidado de só permitir aos seus membros[163]; mas esse assunto importante pediria um capítulo à parte e eu não poderia dizer tudo neste.

Capítulo II – Dos sufrágios

Observa-se, pelo capítulo precedente, que a maneira de tratar os negócios gerais pode fornecer um índice bastante seguro do estado atual dos modos e da saúde do corpo político. Quanto mais a harmonia reina nas assembleias, ou seja, quanto mais as opiniões se aproximam da unanimidade, tanto mais a vontade geral é dominante; mas, os longos debates, as discussões, o tumulto, anunciam a ascendência dos interesses particulares e o declínio do Estado[164].

Isso parece menos evidente, quando duas ou mais ordens entram na sua constituição, como em Roma: os Patrícios e os Plebeus, cujas querelas sempre tumultuavam os comícios, mesmo nos melhores tempos da República[165]. Mas, essa exceção é mais aparente do que real, pois pelo vício inerente ao corpo político tem-se – por assim dizer – dois Estados em um só; aquilo que não é verdadeiro para os dois juntos, é verdadeiro para cada um em separado. E de fato, mesmo nos tempos mais tempestuosos, os plebiscitos do povo, quando o Senado não se imiscuía neles, decorriam sempre com tranquilidade e com a grande pluralidade dos sufrágios: tendo os Cidadãos sempre só um interesse, o povo tem apenas uma vontade.

Na outra extremidade do círculo, torna a aparecer a unanimidade, isto é, quando os cidadãos se tornam escravos, não têm mais nem liberdade nem vontade. Então, o temor e a adulação transformam em aclamação os sufrágios, não se delibera mais, adora-se ou se maldiz. Essa era a maneira vil de o Senado opinar à época dos Imperadores. Algumas vezes, isso se fazia com precauções ridículas: Tácito observa[166] que sob Oto os Senadores cumulavam Vitelius de execrações, ao mesmo tempo que fingiam fazer um barulho assustador, para que, se por acaso se tornasse o senhor, não pudesse saber o que cada um deles dissera[167].

As máximas, sobre as quais deve-se regular a maneira de contar os votos e comparar as opiniões, nascem dessas diversas considerações, caso a vontade geral seja mais ou menos fácil de ser conhecida e o Estado esteja em maior ou menor declínio.

Há apenas uma lei que, por sua natureza, exige um consentimento unânime. Trata-se do pacto social, uma vez que a associação civil é o ato mais voluntário do mundo. Todo homem, tendo nascido livre e senhor de si, ninguém pode submetê-lo sem seu consentimento, sob qualquer que seja o pretexto. Decidir que o filho de um escravo nasce escravo é decidir que ele não nasce homem[168].

Se há opositores fora do pacto social, sua oposição não invalida o contrato, apenas impede que sejam inseridos nele: são estrangeiros entre os Cidadãos. No momento da instituição do Estado, o consentimento está no fato de aí residir; habitar o território é submeter-se à soberania[d].

Fora desse contrato primitivo, a voz do maior número submete sempre os outros, trata-se de uma continuação do próprio contrato. Mas, pode-se perguntar, como um homem pode ser livre e forçado a se conformar com vontades que não são as suas. Como os opositores podem ser livres e submetidos a leis às quais não deram consentimento?

Minha resposta é que a questão está malcolocada. O Cidadão dá seu consentimento a todas as leis, mesmo àquelas que foram aprovadas sem sua anuência e até mesmo àquelas que o punem, quando ousa violar alguma delas. A vontade constante de todos os membros do Estado é a vontade geral; é por meio dela que são cidadãos e livres[e]. Quando se propõe uma lei na assembleia do Povo, o que se pergunta exatamente não é se aprovam a proposição ou se a rejeitam, mas se ela é conforme ou não à vontade geral, que corresponde à sua; cada um, ao dar seu sufrágio, exprime sua opinião a respeito, e a declaração da vontade geral deriva do cálculo dos votos. Assim, quando ela corresponde a uma vontade diferente da minha, isso não prova outra coisa, a não ser que me enganei, e que aquilo que acreditava ser a vontade geral, não o era. Se minha opinião particular tivesse predominado, eu teria feito outra coisa diferente do que aquilo que queria, aí sim, eu não seria livre.

É verdade que isso supõe que todas as características da vontade geral estejam ainda na pluralidade; quando isso não mais acontece, qualquer que seja o partido que se tome, não há mais liberdade.

Tendo demonstrado acima[169] como se substitui, nas deliberações públicas, as vontades particulares pela vontade geral, indiquei de forma suficiente os meios praticáveis de prevenir esse abuso; ainda falarei disso mais adiante[170]. Com relação ao número proporcional dos sufrágios para declarar essa vontade, também já dei os princípios sobre os quais se pode determiná-lo. A diferença de um único voto rompe a igualdade, um único opositor rompe a unanimidade; mas entre a unanimidade e a igualdade há várias divisões desiguais, podendo-se para cada uma delas fixar esse número, segundo o estado e as necessidades do corpo político.

Duas máximas gerais podem servir para regular essas relações: uma, é que quanto mais as deliberações são importantes e graves, tanto mais a opinião que as causa deve aproximar-se da unanimidade; a outra é que quanto mais o assunto tratado precisa de rapidez, mais se deve abreviar a diferença prescrita na divisão das opiniões: nas deliberações em que se precisa resolver imediatamente, deve bastar a diferença de um único voto. A primeira dessas máximas parece mais conveniente às leis e a segunda, aos negócios. Do que quer que se trate, é pela sua combinação que se estabelecem as melhores condições de manifestação da diversidade.

Capítulo III – Das eleições

Com relação às eleições do Príncipe e dos Magistrados que, como já disse[171], são atos complexos, há duas maneiras de proceder, a saber: a escolha e a sorte. Uma forma e outra foram muito empregadas em diversas Repúblicas, e ainda hoje se encontra uma mistura muito complicada de ambas na eleição do Doge de Veneza[172].

O sufrágio pela sorte, afirma Montesquieu, *é natural da Democracia*[173]. De acordo, mas como isso é possível? *A sorte*, continua, *é uma forma de eleger que não aflige ninguém; ela dá a cada Cidadão uma esperança razoável de servir à pátria*. Isso não são razões válidas.

Se considerarmos que a eleição dos chefes é uma função do Governo e não da Soberania, é fácil ver porque a via da sorte está mais de acordo com a natureza da Democracia, onde a administração é tanto melhor quanto menos divididos são os atos.

Em toda verdadeira Democracia a magistratura não é uma vantagem, mas um cargo oneroso, que, justamente por isso, não pode ser imposto mais a um particular do que a outro. Apenas a lei pode impor essa carga àquele sobre quem cairá a sorte. Porque assim, sendo a condição igual para todos, e a escolha não depende de nenhuma vontade humana, não há qualquer aplicação particular que altere a universalidade da lei.

Na Aristocracia, os sufrágios funcionam melhor, já que o Príncipe escolhe o Príncipe, e o Governo se conserva por si mesmo. O exemplo da eleição do Doge de Veneza confirma essa distinção, ao invés de destruí-la: esta forma combinada convém a um Governo misto, pois é um erro considerar o Governo de Veneza uma verdadeira Aristocracia. Não tendo o Povo nenhuma participação no Governo, a nobreza é o próprio povo. Uma multidão de pobres *Barnabotes*[174] jamais se aproximou de qualquer magistratura, e de sua nobreza só têm o vão título de Excelência e o direito de assistir ao grande Conselho. Sendo esse grande Conselho tão numeroso quanto nosso Conselho Geral em Genebra, seus membros ilustres não têm mais privilégios que nossos simples Cidadãos. Certamente, excluindo-se a extrema disparidade entre as duas Repúblicas, a burguesia de Genebra[175] representa exatamente o Patriciado Veneziano, nossos nativos e habitantes representam os Citadinos e o povo de Veneza, e nossos camponeses representam os súditos de terra-firme. Enfim, de qualquer forma que se considere essa República, feita a abstração do seu tamanho, seu Governo não é mais aristocrático que o nosso. A diferença toda está em que, não tendo nenhum chefe vitalício, não temos a mesma necessidade do sorteio.

As eleições pela sorte têm poucos inconvenientes em uma verdadeira Democracia, onde, sendo todos iguais tanto pelos costumes e talentos quanto pelas máximas e pela fortuna, a escolha se torna praticamente indiferente. Mas já afirmei que não existe uma verdadeira Democracia.

Quando a escolha e a sorte estão combinadas, a primeira deve preencher os lugares que exijam talentos próprios, tais como os cargos militares; a outra convém àqueles onde é suficiente o bom-senso, a justiça, a integridade, tais como os cargos de judicatura, pois em um Estado bem-constituído essas qualidades são comuns a todos os Cidadãos.

Nem a sorte nem os sufrágios têm vez no Governo monarquista. Sendo o Monarca por direito o único Príncipe e Magistrado, a escolha de seus auxiliares pertence apenas a ele. Quando o Abade de Saint-Pierre[176] propôs multiplicar os Conselhos do Rei de França e eleger seus membros por Escrutínio, não percebeu que estava propondo mudar a forma de Governo.

Resta-me ainda falar da maneira de dar e de recolher os votos na assembleia do povo; mas, com relação a isso, talvez o histórico da polícia Romana seja mais esclarecedor do que todas as máximas que eu possa estabelecer. Não é demais para um leitor inteligente conhecer em detalhe como se tratavam os negócios públicos e particulares num Conselho de 200 mil homens.

Capítulo IV – Dos comícios romanos

Não temos obras monumentais e precisas sobre os primeiros tempos de Roma[177], havendo mesmo a impressão de que a maior parte das coisas que se credita a essa época são fábulas[f]; e, em geral, a parte mais instrutiva dos anais dos povos é a história do seu estabelecimento, que é exatamente aquela que nos falta mais. A experiência nos ensina todos os dias quais são as causas das revoluções dos impérios; mas como não há mais povos em formação, nada mais temos do que conjeturas para explicar como se formaram.

Os usos que encontramos estabelecidos ao menos atestam que se originaram nessa época. As tradições que devem ser aceitas como as mais certas são aquelas que remontam a essas origens, aquelas que são apoiadas pelas maiores autoridades e que são confirmadas pelas mais fortes razões. Eis as máximas que tentei seguir para compreender como o mais livre e o mais poderoso povo da terra exerce seu poder supremo.

Depois da fundação de Roma, a República nascente, ou seja, o exército do fundador composto por Albanos, Sabinos e estrangeiros, foi dividido em três classes que, a partir dessa divisão, recebeu o nome de *Tribos*. Cada uma dessas Tribos foi dividida em dez Cúrias e cada Cúria em Decúrias, à frente das quais estavam chefes chamados de *Curiões* ou *Decuriões*.

Além disso, tirou-se de cada Tribo um corpo de cem cavaleiros ou cavalheiros, chamado Centúria, de onde se conclui que essas divisões, a princípio, eram apenas militares, uma vez que são pouco necessárias num burgo. Mas parece que um instinto de grandeza levou inicialmente a pequena cidade de Roma a se dar, por antecipação, uma polícia[178] conveniente à capital do mundo.

Dessa primeira divisão logo resultou um inconveniente. É que a Tribo dos Albanos[g'] e a dos Sabinos[h'], permanecendo sempre no mesmo estágio, enquanto que a dos estrangeiros[i'] crescia sem cessar, através do seu contínuo afluxo, não demorou muito para que essa última superasse as outras duas. O remédio encontrado por Servius para esse abuso perigoso foi mudar a divisão, abolindo a que era baseada nas raças, substituindo-a por outra, baseada nos lugares da cidade ocupados por cada Tribo. No lugar de três Tribos colocou quatro, sendo que cada uma ocupava uma das colinas de Roma e levava seu nome. Assim, remediando a desigualdade do momento, ainda a preveniu para o futuro; e, para que essa divisão não fosse apenas relativa aos lugares, mas também aos homens, proibiu os habitantes de um local passar ao outro, o que impediu que as raças se misturassem.

Também dobrou as três antigas centúrias de Cavalaria e acrescentou outras doze, mas sempre sob os antigos nomes, meio simples e judicioso pelo qual acabou por distinguir o corpo dos Cavalheiros do Povo, sem fomentar reclamações neste último.

Servius acrescentou a essas quatro Tribos urbanas outras quinze chamadas Tribos rústicas, porque eram formadas por habitantes do campo, divididos em outros tantos cantões. Mais tarde, outras tantas foram fixadas, e o Povo romano finalmente se encontrou dividido em trinta e cinco Tribos, permanecendo restrito a esse número até o fim da República.

Dessa distinção entre as Tribos da Cidade e as tribos do campo resultou um efeito digno de nota, uma vez que não há outro exemplo semelhante, e ao qual Roma deveu ao mesmo tempo a conservação dos seus costumes e o crescimento do seu império. Poder-se-ia acreditar que as Tribos urbanas cedo se atribuíssem o poder e as honrarias, não tardando a aviltar as Tribos rústicas; mas foi exatamente o contrário que aconteceu. Conhecemos o gosto desses primeiros Romanos pela vida campestre. Esse gosto era resultado do sábio instituidor, que uniu à liberdade os trabalhos rústicos e militares, e que, por assim dizer, relegou à cidade as artes, os ofícios, a intriga, a riqueza e a escravidão.

Dessa forma, tudo que Roma tinha de ilustre vivia nos campos e cultivava as terras, o que os levou a só ali procurar os sustentáculos da República. Como esse estado correspondia ao dos mais dignos Patrícios, foi honrado por todo mundo: a vida simples e laboriosa dos Aldeões era preferível à vida preguiçosa e lasciva dos Burgueses de Roma, não faltou quem, um infeliz proletário na cidade, não se tornasse como trabalhador dos campos, um Cidadão respeitável. Não é sem razão, dizia Varro[179], que nossos magnânimos ancestrais estabeleceram na Aldeia o celeiro desses robustos e valentes homens que os defendiam em tempo de guerra e os alimentavam em tempos de paz. Plínio afirmava que as Tribos dos campos eram honradas em razão dos homens que as compunham, ao passo que se transferiam, por ignomínia, para as da Cidade, os frouxos que se queria aviltar. O Sabino Appius Claudius, vindo estabelecer-se em Roma, foi coberto de honras e inscrito em uma Tribo rústica, que em seguida adotou o nome de sua família. Finalmente, os libertos entravam todos nas Tribos urbanas, jamais nas rurais; e não houve durante toda a República um único exemplo de algum desses libertos que tenha atingido alguma magistratura, apesar de se ter tornado Cidadão.

Essa máxima era excelente, mas foi levada tão longe, que acabou por resultar em uma mudança e certamente em um abuso da legislação[180].

Primeiramente, os Censores, depois de se terem atribuído por muito tempo o direito de transferir arbitrariamente os cidadãos de uma Tribo a outra, permitiram à maior parte inscrever-se naquela que mais lhe agradava, permissão que certamente não era boa para nada e retirava da censura um dos grandes recursos. Além disso, como os Grandes e os poderosos se inscreviam todos nas Tribos do campo, e os libertos, tornados Cidadãos, permaneciam com o populacho nas da cidade, as Tribos em geral não tiveram mais nem sede nem território, misturando-se todas de tal forma, que não mais foi possível discernir os membros de cada uma, a não ser pelos registros; de modo que a ideia da palavra *Tribo* passou assim do real ao pessoal, ou, mais ainda, se tornou quase uma quimera.

Ainda ocorreu que as Tribos da cidade, estando mais ao alcance, frequentemente foram as mais fortes nos comícios, e venderam o Estado àqueles que aceitavam comprar os sufrágios da canalha de que eram compostas.

Em relação às Cúrias, como o instituidor[181] fez dez em cada Tribo, todo o povo romano que se encontrava entre os muros da cidade era composto de trinta Cúrias, das quais cada uma tinha seus templos, seus Deuses, seus oficiantes, seus sacerdotes e suas festas chamadas *compitalia*, semelhantes às *Paganalia*, que ocorreram nas Tribos rústicas.

Quando da nova divisão feita por Servius, não podendo esse número de trinta ser repartido igualmente entre as quatro Tribos, não quis modificá-lo, e as Cúrias, independentes das Tribos, tornaram-se uma outra divisão dos habitantes de Roma. Mas as Cúrias não tiveram maior significado, nem nas Tribos rústicas, nem entre o povo de que eram compostas, uma vez que as Tribos, tendo-se tornado um estabelecimento puramente civil, e tendo sido introduzida uma outra legislação[182] para a condução das tropas, as divisões militares de Rômulo tornaram-se supérfluas. Assim, embora todo Cidadão estivesse inscrito em uma Tribo, era necessário um pouco mais para que pertencesse a uma Cúria.

Servius ainda fez uma terceira divisão, que não tinha relação alguma com as precedentes, e que pelos seus efeitos tornou-se a mais importante de todas. Distribuiu todo o povo romano em seis classes, sem distingui-lo nem pelo lugar nem pelos homens, mas pelos bens, de maneira que as primeiras classes eram preenchidas pelos ricos, as últimas pelos pobres e as médias pelos que desfrutavam de uma fortuna medíocre. Essas seis classes eram subdivididas em 193 outros corpos chamados de centúrias, e esses corpos eram de tal forma distribuídos que a primeira Classe sozinha compreendia mais da metade deles, sendo que a última formava um único corpo. Isso fazia com que a classe menos numerosa em homens fosse a maior em centúrias, e que a última classe inteira valesse apenas uma subdivisão, embora ela reunisse mais da metade da população de Roma.

Para que o povo não percebesse tanto as consequências dessa última forma, Servius procurou deliberadamente dar-lhe um ar militar: inseriu na segunda classe duas centúrias de escudeiros, e duas máquinas de guerra na quarta. Em cada Classe, excetuando-se a última, ele distinguia os jovens e os velhos, ou seja, aqueles que eram obrigados a carregar as armas, e aqueles que eram liberados disso pelas leis, em função da idade, distinção essa que, muito mais que a dos bens, produzia a necessidade de recomeçar frequentemente o senso ou a contagem. Finalmente, ele determinava que a assembleia ocorresse no Campo de Marte, e que todos que estivessem em idade de servir comparecessem portando suas armas.

A razão pela qual não adotou na última classe essa mesma divisão entre velhos e moços, é que não se dava ao populacho de que era composta a honra de carregar armas pela pátria; era necessário ter propriedades para obter o direito de defendê-las, e dessas inúmeras tropas de mendigos que hoje brilham nos exércitos dos Reis não há talvez um só que não seria rechaçado com desprezo de uma fileira romana, quando os soldados eram os defensores da liberdade.

Entretanto, na última classe, ainda distinguiam-se os *proletários* daqueles que se chamava *capite censi*. Os primeiros, que não estavam completamente reduzidos a nada, ao menos davam Cidadãos ao Estado, até mesmo soldados em caso de necessidade. Aqueles que não tinham absolutamente nada e que só podiam ser contados por cabeça eram considerados nulos, e Marius[183] foi o primeiro que se dignou a arrolá-los.

Sem afirmar aqui se esse terceiro desdobramento era bom ou mau em si mesmo, creio poder afirmar que só se tornou possível devido aos costumes simples dos primeiros Romanos, seu desinteresse, seu gosto pela agricultura, seu desprezo pelo comércio e pela ganância do ganho. Onde está o povo moderno no qual a avidez devoradora, o espírito inquieto, a intriga, as contínuas mudanças, as perpétuas revoluções das fortunas, possam deixar durar durante vinte anos tal situação sem desestabilizar todo o Estado? É necessário ressaltar que os costumes e a censura, mais fortes que essa instituição, corrigiram o vício em Roma, e que certo rico se viu relegado à classe dos pobres, por ter esbanjado muito sua riqueza.

É fácil compreender, a partir desse quadro, porque quase só se fazia menção de cinco classes, embora existissem seis. A sexta não fornecia nem soldados para a armada, nem votantes para o Campo de Marte[j], e, quase não tendo utilidade para a República, raramente era contada para alguma coisa.

Tais foram as diferentes divisões do povo romano. Vejamos agora quais foram os efeitos que elas produziram nas assembleias. Essas assembleias legitimamente convocadas chamavam-se *Comícios*. Aconteciam regularmente na praça de Roma[184] ou no Campo de Marte, e se distinguiam em comícios por Cúrias, Comícios por Centúrias e Comícios por Tribos, segundo aquela dessas três formas para a qual foram ordenadas: os comícios por Cúrias foram instituição de Rômulo, os por Centúrias, de Servius, os por Tribos, pelos Tribunos do povo. Nenhuma lei recebia sanção, nenhum magistrado era eleito, a não ser nos Comícios, e como não havia Cidadão algum que não estivesse inscrito em uma Cúria, em uma Centúria ou em uma Tribo, nenhum Cidadão estava excluído do direito de sufrágio e o Povo Romano era verdadeiramente Soberano, de direito e de fato.

Eram necessárias três condições para que os Comícios estivessem legitimamente reunidos e para que aquilo que decidissem tivesse força de lei: a primeira, que o corpo ou o Magistrado que os convocou estivesse revestido da autoridade necessária para isso; a segunda, que a assembleia tivesse lugar num dos dias permitidos pela lei; a terceira, que os augúrios fossem favoráveis.

A razão do primeiro regulamento não tem necessidade de ser explicada. O segundo é um assunto de polícia, pois não era permitido haver Comícios nos dias de feriado e de mercado, nos quais as pessoas do campo, tendo vindo a Roma para seus negócios, não tinham tempo de passar o dia na praça pública. Por meio do terceiro, o Senado refreava um povo arrogante e reclamador, abrandando assim o ardor dos Tribunos sediciosos; mas estes encontraram mais de um meio de se livrar desse controle.

As Leis e a eleição dos chefes não eram os únicos pontos submetidos ao julgamento dos Comícios; tendo o povo romano usurpado as mais importantes funções do Governo, podemos dizer que a sorte da Europa era decidida nessas assembleias. Essa variedade de objetos deu lugar às diversas formas que tomavam essas assembleias em relação aos assuntos sobre os quais ela devia pronunciar-se.

Para julgar essas diferentes formas basta compará-las. Rômulo, ao instituir as Cúrias, visava conter o Senado pelo povo e o Povo pelo Senado, dominando igualmente os dois. Por meio dessa forma, dava ao povo toda a autoridade do número para contrabalançar a do poder e das riquezas que ele permitia aos Patrícios. Mas, de acordo com o espírito da Monarquia, deixou, no entanto, mais vantagem aos Patrícios pela influência de seus Clientes sobre a pluralidade dos sufrágios. Essa admirável instituição dos Patrões e dos Clientes foi uma obra-prima de política e de humanidade, sem a qual o Patriciado, tão contrário ao espírito da República, não poderia ter subsistido. Apenas Roma teve a honra de dar ao mundo esse belo exemplo, do qual jamais resultou qualquer abuso e que, entretanto, nunca foi seguido.

Essa mesma forma das Cúrias, tendo subsistido sob os Reis até Servius, e não tendo sido considerado legítimo o reino do último Tarquínio, isso fez com que geralmente se distinguissem as leis reais pelo nome de *leges curiatae*.

Sob a República, as Cúrias, sempre limitadas pelas quatro Tribos urbanas e contendo apenas o populacho de Roma, não podiam convir nem ao Senado, que tinha à frente os Patrícios, nem aos Tribunos que – mesmo plebeus – tinham à frente Cidadãos abastados. Assim, caíram em descrédito, e sua deterioração foi tal, que seus trinta Litores reunidos faziam aquilo que os comícios por Cúrias deveriam ter feito.

A divisão por Centúrias era tão favorável à Aristocracia, que não se compreende por que o Senado não a aplicava sempre nos Comícios que levavam esse nome, e pelos quais eram eleitos os Cônsules, os Censores e os outros Magistrados curiais. De fato, das cento e noventa e três centúrias que formavam as seis Classes de todo o Povo romano, a primeira Classe compreendia noventa e oito, e, sendo os votos contados pelas Centúrias, só essa primeira Classe dominava em número de vozes sobre todas as outras. Quando todas as Centúrias estavam de acordo, não se continuava a recolher os sufrágios; aquilo que o menor número tivesse decidido passava por uma decisão da multidão, e pode-se dizer que nos Comícios por Centúrias os negócios se regulavam muito mais pela pluralidade dos escudos do que pela dos votos.

Mas essa extrema autoridade era temperada de dois modos: primeiramente, os Tribunos no geral, e um grande número de Plebeus, fazendo parte da classe dos ricos, contrabalançavam o crédito dos Patrícios nessa primeira classe.

O segundo meio consistia em, ao invés de fazer votar primeiro as Centúrias, segundo sua ordem, o que sempre implicaria começar pela primeira, sorteia-se uma ao acaso e só esta[k] procedia à eleição; depois disso, todas as Centúrias, chamadas por ordem outro dia, repetiam a mesma eleição e comumente a confirmavam. A autoridade do exemplo, por ordem, era desse modo destituída, para atribuí-la pela sorte, segundo o princípio da Democracia[185].

Ainda resultava desse uso uma outra vantagem: os Cidadãos do campo tinham tempo entre as duas eleições de se informar sobre o mérito do Candidato provisoriamente nomeado, a fim de assim dar seu voto com conhecimento de causa. Mas, sob pretexto de celeridade, acabou-se por abolir esse uso, e as duas eleições passaram a ser feitas no mesmo dia.

Os Comícios por Tribos eram de fato o Conselho do povo romano. Só eram convocados pelos Tribunos; neles eram eleitos os Tribunos e aí eram aprovados seus plebiscitos. O Senado não só não participava deles, como também não tinha nem mesmo o direito de assistir a eles, e, forçados a obedecer às leis sobre as quais não podiam votar, os Senadores eram nesse sentido menos livres que os últimos Cidadãos[186]. De qualquer forma, essa injustiça era malcompreendida, e só ela era suficiente para invalidar os decretos de um corpo onde todos os seus membros não eram aceitos. Mesmo que todos os Patrícios tivessem assistido a esses Comícios, de acordo com o direito que tinham como Cidadãos, transformados em simples particulares, não poderiam mais influir sobre uma forma de sufrágios que se contavam por cabeça, e onde o menor proletário podia tanto quanto o Príncipe ou o Senado.

Além disso, vê-se que a ordem que resulta dessas diversas distribuições, pelo recolhimento dos sufrágios de tão grande Povo, essas distribuições não se reduziam a formas indiferentes em si mesmas, mas cada uma dava efeitos relativos aos fins que as tornavam preferidas.

Sem entrar em maiores detalhes sobre isso, resulta dos esclarecimentos precedentes que os Comícios por Tribos eram os mais favoráveis ao Governo popular, e os Comícios por Centúrias, à Aristocracia. Em relação aos Comícios por Cúrias, onde só o populacho de Roma era a pluralidade, como só eram bons para favorecer a tirania e os maus desempenhos, acabavam por cair no descrédito, os próprios sediciosos abstinham-se de um meio que expunha muito os seus projetos. É verdade que toda a majestade do Povo Romano só se encontrava nos Comícios por Centúrias, os únicos completos, pois nos Comícios por Cúrias faltavam as Tribos rústicas, e nos Comícios por Tribos, o Senado e os Patrícios.

Quanto à forma de recolher os sufrágios, entre os primeiros Romanos ela era tão simples quanto seus costumes, embora menos simples do que em Esparta. Cada um dava seu sufrágio em voz alta, enquanto um Notário os anotava, à medida que iam sendo dados, a pluralidade de votos entre as Tribos determinava o sufrágio do povo, e assim das Cúrias e das Centúrias. Essa prática foi boa, enquanto a honestidade reinava entre os Cidadãos e que cada um tinha vergonha de dar publicamente seu sufrágio a uma opinião injusta ou a um assunto indigno; mas quando o povo se corrompeu e os votos passaram a ser comprados, foi conveniente expressá-los em segredo para conter os compradores pela desconfiança, e fornecer aos velhacos a forma de não serem tratantes.

É verdade que Cícero brada contra essa mudança e atribui-lhe em parte a ruína da República[187]. Mas por mais que eu ateste o peso da autoridade de Cícero nessa questão, não posso estar de acordo com ele. Ao contrário, penso que se acelerou a perda do Estado, por não terem sido feitas mudanças semelhantes em número suficiente. Como a dieta de pessoas sãs não é própria aos doentes, não se deve governar um povo corrompido pelas mesmas Leis que convêm a um povo bom. Nada prova melhor essa máxima que a República de Veneza, cujo simulacro ainda existe, unicamente porque suas leis apenas são convenientes a homens maus.

Distribuía-se então aos Cidadãos pequenas tábuas[188] com as quais cada um poderia votar sem que se soubesse qual era sua opinião. Estabeleceram-se também novas formalidades para o recolhimento das tábuas, a contagem dos votos, a comparação dos números etc. Isso não impediu que se suspeitasse frequentemente da fidelidade dos Oficiais encarregados dessas funções[l']. Finalmente foram feitos Editos para impedir a briga e o tráfico dos sufrágios, mas sua multiplicidade mostrou a inutilidade.

Nos últimos tempos era frequente recorrer a expedientes extraordinários para superar a insuficiência das leis. Às vezes usavam-se artifícios, mas esse meio que podia impô-las ao povo não as impunha a quem governava; às vezes convocava-se repentinamente uma assembleia, antes que os Candidatos tivessem tido tempo de fazer suas intrigas; às vezes, dedicava-se toda uma seção falando, quando se percebia que o povo já estava conquistado e prestes a escolher um mau partido. Mas, enfim, a ambição tudo destruiu. E o que há de inacreditável a favor dos seus antigos regulamentos é que em meio a tantos abusos esse povo imenso não deixava de eleger os Magistrados, de aprovar as leis, de julgar as causas, de expedir os assuntos particulares e públicos, quase com tanta facilidade como poderia ter feito o próprio Senado.

Capítulo V – Do tribunato

Quando não se pode estabelecer uma exata proporção entre as partes constitutivas do Estado, ou que causas indestrutíveis alteram continuamente as relações, institui-se então magistratura particular que de forma alguma se identifica com as outras, que substitui cada termo, em sua verdadeira relação, e que faz uma ligação ou um meio-termo tanto entre o Príncipe e o Povo, como entre o

Príncipe e o Soberano, e às vezes entre os dois lados, quando se faz necessário.

Esse corpo, que chamarei de *Tribunato*, é o conservador das leis e do poder legislativo. Algumas vezes serve para proteger o Soberano contra o Governo, como faziam em Roma os Tribunos do povo; outras vezes, serve para manter o Governo contra o Povo, como faz atualmente em Veneza o Conselho dos Dez; e outras vezes, mantém o equilíbrio entre as partes, como faziam os Éforos em Esparta[190].

O Tribunato não é absolutamente uma parte constitutiva da Cidade, e não deve ter parte alguma nem do poder legislativo nem do executivo, e é nisso que o seu poder é maior: por não poder fazer nada, pode impedir tudo. É mais sagrado e mais reverenciado, como defensor das Leis, do que o Príncipe, que as executa, e do que o Soberano, que as determina. Foi precisamente isso que ocorreu em Roma, quando os Patrícios orgulhosos, que sempre desprezaram todo o povo, foram forçados a se curvar frente a um simples funcionário do povo, que não tinha nem auspícios nem jurisdição.

O Tribunato sabiamente equilibrado é o mais firme apoio de uma boa constituição; mas, por menor que seja a força que tenha em demasia, tudo subverte. Quanto à fraqueza, não faz parte de sua natureza, e por menos que ele seja alguma coisa, nunca é menos do que o necessário.

Quando usurpa o poder executivo do qual é moderador, degenera em tirania, da mesma forma quando dispensa as leis[191] que ele deveria proteger. O enorme poder dos Éforos, que se manteve, enquanto Esparta conservou seus costumes, acelerou a corrupção já existente. O sangue de Ágis, enforcado por esses tiranos, foi vingado por seu sucessor: o crime e o castigo dos Éforos precipitaram igualmente a perda da República, e depois de Cleômene[192], Esparta não foi mais nada. Também a queda de Roma foi pela mesma razão, e o poder excessivo dos Tribunos, usurpado progressivamente, serviu por fim, com o auxílio das leis feitas para proteger a liberdade, como salvaguarda aos Imperadores que as destruíram[193]. Quanto ao Conselho dos Dez em Veneza, é um Tribunal de sangue, igualmente horrível, tanto aos Patrícios quanto ao Povo, e que, longe de proteger bem as leis depois que estas foram aviltadas, só servem para encobrir golpes escusos.

O Tribunato, como o Governo, se enfraquece, quando da multiplicação de seus membros. Quando os Tribunos do povo romano, a princípio em número de dois, depois, de cinco, quiseram dobrar esse número, o Senado deixou-os agir, certo de controlar uns pelos outros, o que de fato aconteceu.

A melhor forma de prevenir as usurpações de um corpo tão poderoso, forma essa não utilizada até agora por nenhum Governo, é não tornar esse corpo permanente, mas estabelecer curtos intervalos durante os quais ficaria suprimido. Esses intervalos, que não devem ser muito grandes, para não permitir abusos durante sua consolidação, podem ser fixados pela lei, de maneira que seja natural encurtá-los de acordo com a necessidade, através de comissões extraordinárias.

Esse me parece um meio sem inconveniente, porque, como disse, não fazendo o Tribunato parte da constituição, pode ser suprimido, sem que ela sofra; e também parece eficaz, porque um magistrado recém-empossado não parte do poder do seu antecessor, mas daquele que a lei lhe confere.

Capítulo VI – Da ditadura

A inflexibilidade das leis que as impede de se curvarem aos acontecimentos, em certos casos pode torná-las perniciosas, e por meio delas causar a perda do Estado em meio à sua crise. A ordem e a lentidão das formas exigem um espaço de tempo, que muitas vezes as circunstâncias recusam. Podem ocorrer mil casos que o Legislador não previu, e é uma previsão muito necessária saber que não se pode prever tudo.

Logo, não se deve, pois, querer consolidar as instituições políticas, a ponto de afastar a possibilidade de suspender seu efeito. Até mesmo Esparta deixou suas leis cochilarem.

Mas só os grandes perigos podem compensar a alteração da ordem pública, e jamais se deve obstruir o poder sagrado das leis, a não ser quando se trata da salvação da pátria. Nesses casos raros e manifestos, a ordem pública é garantida por um ato particular que atribui a responsabilidade ao mais digno. Essa comissão pode se constituir de duas formas, de acordo com a espécie do perigo.

Se, para remediar a situação, é suficiente aumentar a atividade do governo, deve-se concentrá-la em um ou dois de seus membros. Assim, não é a autoridade das leis que se altera, mas apenas a forma de sua administração. Se o perigo é de tal ordem que o aparato das leis é um obstáculo à sua garantia, nomeia-se um chefe supremo que faça calar todas as leis e suspenda por um momento a autoridade Soberana. Nesse caso, a vontade geral não é duvidosa, e fica evidente que a primeira intenção do povo é que o Estado não pereça. Dessa forma, a suspensão da autoridade legislativa não suprime a vontade geral; o magistrado que a faz calar não pode fazê-la falar, domina-a, sem poder representá-la; pode fazer tudo, menos as leis[194].

O primeiro meio foi empregado pelo Senado romano, quando encarregou os Cônsules, através de uma fórmula consagrada de poder, da salvação da República. O segundo ocorria, quando um dos dois Cônsules nomeava um Ditador[m]; Alba deu esse exemplo a Roma.

Nos primórdios da República, recorreu-se com muita frequência à Ditadura, uma vez que o Estado ainda não tinha uma base suficientemente fixa para poder se manter pela força de sua constituição. Então os costumes tornavam supérfluas muitas das preocupações que em outros tempos eram necessárias e não se acreditava que um Ditador abusasse de sua autoridade, nem que tentasse mantê-la além do seu mandato. Ao contrário, parece que poder tão grande era muita sobrecarga para quem dele estivesse revestido, tanta era a pressa de se desfazer dele, como se fosse um cargo muito penoso e muito difícil ocupar o lugar das leis!

Assim, não é o perigo do abuso, mas o do aviltamento que reprova o uso imoderado dessa suprema magistratura nos primeiros tempos. Pois, conquanto a prodigalizassem em Eleições, em Dedicatórias, em questões de pura formalidade, era receoso que se tornasse menos temível quando necessária, e que se acostumassem a considerar como um título não aquele que só se empregava em cerimônias vãs.

Por volta do final da República, os Romanos, que se tinham tornado mais circunspectos, valeram-se da Ditadura com menos razão do que a tinham prodigalizado outrora[195]. É fácil perceber que sua crença era infundada, que a fraqueza da capital era sua segurança contra os Magistrados que existiam entre eles, de tal forma que um Ditador podia em certos casos defender a liberdade pública, sem jamais poder atentar contra ela, e que os grilhões de Roma não eram de fato forjados em Roma, mas nos seus exércitos; a pequena resistência que Marius fez a Silla, e Pompeu a César, demonstrou bem o que se pode esperar da autoridade interna contra a força externa.

Esse erro provocou grandes falhas, como, por exemplo, a de não ter nomeado um Ditador para o caso de Catilina, pois, como era apenas uma questão interna da cidade, e, no máximo, de uma certa província da Itália, com a autoridade sem limites que as Leis davam ao Ditador, ele teria facilmente dissipado a conjuração, que só foi dominada por um acaso feliz de coincidências que a prudência humana jamais deverá esperar.

Ao invés disso, o Senado se contentou em confiar todo o seu poder aos Cônsules, o que fez com que Cícero, para agir com eficácia, fosse coagido a ultrapassar esse poder num momento capital, e, se as primeiras demonstrações de alegria aprovaram sua conduta, foi justa a cobrança que depois lhe foi feita, sobre o sangue dos seus Cidadãos que tinha sido derramado contra as leis, reprovação que não poderia ser feita a um Ditador[196]. Mas, a eloquência do Cônsul tudo modificou, e ele, mesmo sendo Romano, amando mais sua glória do que sua pátria, não procurou o meio mais legítimo e mais seguro de salvar o Estado, mas o de ter a honra desse caso[n']. Também foi honrado como libertador de Roma e justamente punido como infrator das leis. Por mais brilhante que tenha sido sua recondução, é certo que foi uma graça.

De resto, qualquer que seja a forma por que essa importante comissão seja conferida, importa fixar sua duração em um prazo bem curto, que não possa ser prorrogado; nas crises que a estabelecem, o Estado é certamente salvo ou destruído e uma vez passada a necessidade urgente, a Ditadura torna-se tirânica ou vã. Como em Roma os Ditadores só ficavam por seis meses, a maior parte abdicava antes. Se o período fosse mais longo, podiam sofrer a tentação de prolongá-lo ainda mais, como os Decênviros fizeram em mais um ano. O Ditador só tinha tempo de atender às necessidades daquilo para que tinha sido eleito, não podendo sonhar com outros projetos.

Capítulo VII – Da censura

Da mesma forma que a declaração da vontade geral se faz por meio da lei, a declaração do julgamento público se faz através da censura. A opinião pública é a espécie de lei da qual o Censor é o Ministro e que só é aplicável em casos particulares, a exemplo do Príncipe.

Longe de ser o árbitro da opinião pública, o tribunal censório é seu declarador, e, frequentemente, quando daí se afasta, suas decisões são vãs e sem efeito[197].

É inútil distinguir os costumes de uma nação dos seus objetos preferidos, pois tudo tem o mesmo princípio e necessariamente se confunde. Em todos os povos do mundo não é a natureza, mas a opinião que decide a escolha de seus prazeres. Reformai as opiniões dos homens e seus costumes se purificarão por si mesmos. Ama-se sempre o que é belo ou o que se julga como tal, mas é sobre esse julgamento que nos enganamos, trata-se, pois, de corrigi-lo. Quem julga os costumes, julga a honra, e quem julga a honra, vai buscar sua lei da opinião.

As opiniões de um povo nascem de sua constituição; mesmo que a lei não regule os costumes, é a legislação que os faz nascer. Quando a legislação enfraquece, os costumes degeneram, e aí o julgamento dos Censores não fará aquilo que a força das leis não fez.

Pode-se deduzir daí que a Censura pode ser útil para conservar os costumes, mas não para restabelecê-los. Estabelecei Censores durante o vigor das Leis, pois, quando ele se perde, tudo se deteriora; nada de legítimo[198] terá força quando as leis deixaram de tê-la.

A Censura mantém os costumes, impede que as opiniões se corrompam, conservam sua retidão através de sábias aplicações, algumas vezes até fixando-as, quando ainda se mostram incertas. O uso dos substitutos nos duelos, levado ao extremo no Reino de França, foi abolido por estas únicas palavras de um Edito do Rei: *quanto a estes que têm a covardia de chamar os Segundos*. Esse julgamento, precedendo o do público, certamente o determinava. Mas quando os mesmos editos quiseram estabelecer que também era uma covardia bater-se em duelo, o que é verdadeiro, mas contrário à opinião comum, o público zombou dessa decisão sobre a qual sua opinião já formara juízo.

Já afirmei em outro texto[o'] que, não estando a opinião pública submetida à coerção, o tribunal estabelecido não necessita de nenhum indício para representá-la. Não se pode admirar muito com que arte essa relação, inteiramente perdida entre os modernos, foi colocada em prática pelos Romanos e mais ainda pelos Lacedemônios.

Tendo um homem de maus costumes apresentado uma boa proposta no conselho de Esparta, os Éforos, sem levá-lo em conta, fizeram apresentar a mesma proposta por um Cidadão virtuoso. Que honra para um, que vergonha para outro, sem fazer elogio ou censura a qualquer um dos dois! Alguns embriagados de Samos macularam o Tribunal dos Éforos; no dia seguinte, pelo Edito público, foi permitido aos Sâmios serem vilões[199]. Um verdadeiro castigo teria sido menos severo do que semelhante impunidade. Quando Esparta se pronunciava sobre o que era ou não honesto, a Grécia não recorria de seus julgamentos.

Capítulo VIII – Da religião civil

A princípio os homens não tiveram outros Reis que não os Deuses, nem outro Governo, que não o Teocrático[200]. Seguiram o raciocínio de Calígula[201], e raciocinaram corretamente. Foi necessária uma longa alteração de sentimentos e de ideias para que cada um se decidisse a tomar seu semelhante como senhor, e se persuadir de que se estava bem assim.

A partir daí, com Deus à frente de cada sociedade política, houve tantos Deuses quantos povos. Dois povos estranhos um ao outro e quase sempre inimigos não puderam reconhecer o mesmo senhor por muito tempo; dois exércitos em batalha não poderiam obedecer ao mesmo chefe. Assim, das divisões nacionais resultou o politeísmo, e daí a intolerância teológica e civil, que naturalmente é a mesma, como se dirá a seguir[202].

A fantasia que os Gregos tinham de reencontrar seus Deuses entre os povos bárbaros decorria do fato de se julgarem Soberanos naturais desses povos. Mas atualmente essa é uma erudição bem ridícula identificar os Deuses das diversas nações; como se Moloch, Saturno e Cronos pudessem ser o mesmo Deus; como se o Baal dos Fenícios, o Zeus dos Gregos e o Júpiter dos Latinos pudessem ser o mesmo; como se pudesse haver algo em comum entre Seres quiméricos de nomes diferentes!

Se me perguntarem por que no paganismo, onde cada Estado tinha seu culto e seus Deuses, não havia guerras de Religião, respondo que era por isso mesmo, pois tendo cada Estado seu culto próprio tanto quanto seu Governo, não distinguiam absolutamente seus Deuses das suas leis. A guerra política era também Teológica: a jurisdição dos Deuses era, de certa forma, fixada pelos limites das Nações. O Deus de um povo não tinha nenhum direito sobre os outros povos. Os Deuses dos Pagãos não eram de forma alguma Deuses ciumentos; dividiam entre si o império do mundo: o próprio Moisés e o Povo Hebreu algumas vezes reconheciam essa ideia, ao falar do Deus de Israel. É verdade que olhavam como nulos os Deuses dos Cananeus, povos proscritos, destinados à destruição e cujo lugar deveriam tomar. Mas note-se como falavam das divindades dos povos vizinhos que não podiam atacar: *A posse daquilo que pertence a Chamos, vosso Deus*, dizia Jefté aos Amonitas, *não vos pertence legitimamente? Da mesma forma, nós possuímos terras adquiridas por nosso Deus vencedor*[p']. Parece-me que isto representa uma paridade claramente reconhecida entre os direitos de Chamos e os do Deus de Israel.

Mas quando os Judeus, submetidos aos Reis da Babilônia e, em seguida, aos Reis da Síria, de forma obstinada não reconheceram nenhum outro Deus a não ser o seu, essa recusa foi encarada como uma rebelião contra o vencedor, atraindo contra eles as perseguições que se leem ao longo da sua história, e das quais não se encontra outro exemplo antes do Cristianismo[q'].

Então, estando cada Religião presa apenas às leis do Estado que a prescrevia, não havia outra maneira de converter um povo a não ser dominando-o, nem outros missionários a não ser os conquistadores, e como a obrigação de mudar de culto era a lei dos vencidos, era necessário vencer antes de falar no assunto. Ao invés de serem os homens que combatiam pelos Deuses, eram os Deuses – como em Homero – que combatiam pelos homens; cada um pedia ao seu a vitória e pagava-a através de novos duelos.
Os Romanos, antes de tomarem um lugar,

intimavam os seus deuses a abandoná-lo, e quando deixaram os Deuses dos Tarentinos irritados, foi por considerarem esses Deuses como submetidos aos seus e obrigados a lhes prestarem homenagem. Deixavam os vencidos com seus Deuses, como os deixavam com suas leis. Quase sempre lhes impunham como único tributo uma coroa a Júpiter do capitólio.

Finalmente, tendo os Romanos estendido com seu império, seu culto e seus Deuses, e muitas vezes tendo eles próprios adotado os dos vencidos, dando a uns e aos outros o direito da Cidade, os povos desse vasto império passaram a ter, sem perceber, uma multidão de Deuses e de cultos, quase os mesmos por todo o império. E assim o paganismo foi no mundo conhecido uma única e mesma Religião.

Foi nessas circunstâncias que Jesus veio estabelecer sobre a Terra um reino Espiritual, o qual, separando o sistema teológico do sistema político, fez com que o Estado deixasse de ser uno, causando as divisões intestinas que jamais deixaram de agitar os povos cristãos[203]. Ora, como essa ideia nova de um reino do outro mundo jamais entrou na cabeça dos pagãos, passaram a olhar os Cristãos como verdadeiros rebeldes que, sob uma hipócrita submissão, esperavam apenas o momento de se tornarem independentes e senhores, e de usurparem assim a autoridade que fingiam respeitar na sua fraqueza. Essa foi a razão das perseguições.

Aquilo que os pagãos temiam aconteceu: tudo mudou de figura, os humildes Cristãos mudaram de linguagem, e rapidamente se viu esse reino do outro mundo, sob a direção de um chefe visível, tornar-se neste mundo o mais violento despotismo.

Entretanto, como sempre teve um Príncipe e leis civis, resultou desse duplo poder um conflito perpétuo de jurisdição, que tornou impossível toda boa polícia nos Estados cristãos, e nunca foi possível saber se era preciso obedecer ao senhor ou ao padre.

Contudo, mesmo na Europa ou nos seus arredores, vários povos quiseram restabelecer o antigo sistema, mas sem sucesso: o espírito do cristianismo se espalhou por toda parte. O culto sagrado permaneceu ou tornou-se independente do Soberano, sem a ligação necessária com o corpo do Estado. Maomé teve uma visão muito boa, unindo bem seu sistema político, tanto que a forma de seu Governo subsistiu sob os Califas, seus sucessores, permanecendo esse Governo uno, e, por isso mesmo, bom. Mas tendo-se os Árabes tornado prósperos, letrados, polidos, fracos e lascivos, foram subjugados pelos bárbaros, recomeçando então a divisão entre os dois poderes. Embora seja menos aparente entre os maometanos do que entre os Cristãos, está presente, sobretudo na seita de Ali, e há Estados – como a Pérsia – onde se faz sempre presente.

Entre nós, os Reis da Inglaterra tornaram-se chefes da Igreja, da mesma forma que fizeram os Czares. Mas, com esse título, tornaram-se menos senhores do que os Ministros; adquiriram menos o direito de mudá-la do que de mantê-la. Eles não são legisladores e sim apenas Príncipes. Em toda parte onde o Clero constitui um corpo[r'], é, na sua alçada, mestre e legislador. Há então dois poderes, dois Soberanos, na Inglaterra e na Rússia, tanto quanto em outras regiões.

De todos os Autores Cristãos, o filósofo Hobbes[204] é o único que viu claramente o mal e o remédio, que ousou propor reunir as duas cabeças da águia e tudo submeter à unidade política, sem a qual nenhum Estado nem Governo serão bem-constituídos. Mas ele deveria ter visto que o espírito dominador do Cristianismo era incompatível com seu sistema, e que o interesse do Padre sempre seria mais forte do que o do Estado. Não é tanto o que há de horrível e de falso na sua política, mas o que há de justo e de verdadeiro, que a tornaram odiosa[s].

Acredito que, desenvolvendo sob esse ponto de vista os fatos históricos, refutam-se facilmente as opiniões opostas de Bayle e de Waburton[205]; um afirmava que nenhuma Religião é útil ao corpo político, e o outro, ao contrário, sustentava que o Cristianismo era seu apoio mais firme. Ao primeiro, pode-se provar que Estado algum já nunca foi fundado sem que a Religião lhe tenha servido de base; e ao segundo, que a lei Cristã, no fundo, é mais nociva do que útil à forte constituição do Estado. Para melhor me fazer entender, é necessário dar apenas um pouco mais de precisão às ideias muito vagas sobre a Religião, relativas ao meu assunto.

A Religião, considerada em relação à sociedade, que é geral ou particular[206], também pode dividir-se em duas espécies, a saber: a Religião do homem e a do Cidadão. A primeira, sem Templos, sem altares, sem ritos, limitada ao culto puramente interior do Deus Supremo e aos deveres eternos da moral, é a Religião pura e simples do Evangelho, o verdadeiro Teísmo, e o que pode ser chamado de direito divino natural. A outra, circunscrita a um único país, lhe dá seus Deuses, seus Padroeiros próprios e tutelares, tem seus dogmas, seus ritos, seu culto exterior prescrito pelas leis. Excetuando-se a única Nação que a segue, todas as outras são para ela infiéis, estranhas, bárbaras; só entende os deveres e os direitos dos homens até onde vão seus altares. Assim foram todas as Religiões dos primeiros povos, às quais se pode dar o nome de direito divino civil ou positivo.

Há um terceiro tipo de Religião mais bizarra, que, dando aos homens duas legislações, dois chefes, duas pátrias, submete-os a deveres contraditórios e os impede de poder ser ao mesmo tempo devotos e Cidadãos. Assim é a Religião dos Lamas[207], e a dos Japoneses, assim é o cristianismo Romano. A esta pode-se chamá-la a religião do Padre, dela resultando um direito misto e insociável que absolutamente não tem nome[208].

Considerando politicamente esses três tipos de religiões, cada uma tem seus defeitos. A terceira é evidentemente tão má, que, preocupar-se em demonstrá-la, é perder tempo. Tudo que rompe a unidade social nada vale: todas as instituições que colocam o homem em contradição consigo mesmo nada valem.

A segunda é boa, pelo fato de reunir o culto divino e o amor das leis, e, ao fazer da pátria o objeto de adoração dos Cidadãos, ensina-os que servir ao Estado é servir ao Deus tutelar. É uma espécie de Teocracia, na qual não deve haver absolutamente outro pontífice, a não ser o Príncipe, nem outros padres, a não ser os magistrados. Assim, morrer por seu país é alcançar o martírio, violar as leis é ser ímpio, e submeter um culpado à execração pública é devotá-lo à cólera dos Deuses; *sacer estod*[209].

Mas é malévola na medida em que, estando fundada sobre o erro e sobre a mentira, engana os homens, torna-os crédulos, supersticiosos, e centraliza o verdadeiro culto da divindade num cerimonial vão. Ainda é má, quando, ao tornar-se exclusiva e tirânica, torna o povo sanguinário e intolerante, de modo que só respira morte e massacre, e acredita fazer uma boa ação, ao matar qualquer um que não admita seus Deuses. Coloca esse povo em um estado natural de guerra com todos os outros, muito perigoso à sua própria segurança.

Resta, então, a Religião do homem ou o Cristianismo, não o de hoje, mas o do Evangelho, do qual é totalmente diferente. Através dessa Religião santa, sublime, verdadeira, os homens, filhos do mesmo Deus, reconhecem-se todos como irmãos, e a sociedade que os une não se dissolve nem mesmo com a morte.

Mas não tendo essa Religião qualquer relação particular com o corpo político, deixa as leis com a única força que tiram de si mesmas, sem lhes acrescentar nenhuma outra, e, assim, um dos grandes liames da sociedade particular permanece sem efeito. Mais ainda, longe de ligar os corações dos Cidadãos ao Estado, separa-os dele, como de todas as coisas da terra: não conheço nada mais contrário ao espírito social.

Dizem-nos que um povo de verdadeiros Cristãos formaria a mais perfeita sociedade que se possa imaginar. Vejo grande dificuldade nessa suposição: uma sociedade de verdadeiros cristãos não seria mais uma sociedade de homens.

Até mesmo, afirmo, que essa suposta sociedade não seria, com toda a sua perfeição, nem a mais forte nem a mais durável; obrigada a ser perfeita, faltar-lhe-ia união; seu vício destruidor está presente na sua própria perfeição[210].

Cada um cumpriria seu dever; o povo estaria submetido às leis, os chefes seriam justos e moderados, os magistrados íntegros e incorruptíveis, os soldados desprezariam a morte, não haveria nem vaidade nem luxo. Tudo isso estaria muito bem, mas vejamos as consequências.

O Cristianismo é uma religião totalmente espiritual, preocupada apenas com as coisas do Céu; a pátria do Cristão não pertence a este mundo. É verdade que ele cumpre seu dever, mas o faz com uma profunda indiferença em relação ao bom ou mau sucesso de suas aspirações. Desde que não tenha nada a se censurar, pouco lhe importa se tudo vai bem ou mal aqui embaixo. Se o Estado é próspero, quase não ousa usufruir da felicidade pública, teme orgulhar-se da glória do seu país; se o Estado sucumbe, bendiz a mão de Deus que pesa sobre seu povo[211].

Para que a sociedade fosse tranquila e a harmonia se mantivesse, seria necessário que todos os cidadãos, sem exceção, fossem igualmente bons cristãos. Mas, se, infelizmente, se encontra entre eles um único ambicioso, um único hipócrita, um Catilina – por exemplo – um Cromwel, esse único certamente venderia seus piedosos compatriotas. A caridade cristã não permite facilmente que se pense mal do próximo. Desde que, por meio de qualquer artimanha aprenda a arte de se impor e de se apossar de uma parte da autoridade pública, será um homem constituído de dignidade, Deus quer que seja respeitado. Logo se constitui um poder, Deus quer que seja obedecido. O depositário desse poder abusa dele? É a maneira como Deus pune seus filhos. Admite-se como obrigação de consciência cassar o usurpador: será necessário perturbar a calma pública, usar de violência, derramar sangue; tudo isso está em desacordo com a doçura do Cristão. E, depois de tudo, que importa que se seja livre ou servo neste vale de misérias? O essencial é alcançar o paraíso, e a resignação é apenas um meio para isso.

Alguma guerra estrangeira acontecerá? Os Cidadãos marcham sem dificuldade para o combate, nenhum deles pensa em fugir; cumprem seu dever, mas sem paixão pela vitória; sabem melhor morrer do que vencer. Que sejam vencedores ou vencidos, que importa? A Providência não sabe melhor do que eles aquilo de que necessitam? Imagine-se que partido um inimigo fiel, impetuoso, passional pode tirar do seu estoicismo! Que se coloquem na sua frente esses povos generosos, a quem devora o ardente amor da glória e da pátria, suponhais vossa república cristã em comparação com Esparta ou Roma: os cristãos piedosos serão dominados, esmagados, destruídos antes de terem tempo de se reconhecer, ou então, só deverão sua salvação ao desprezo que seu inimigo terá por eles. A meu ver, foi um belo compromisso o dos soldados de Fabius[212]; não juraram vencer ou morrer, juraram voltar vencedores e honraram seu juramento. Nunca os Cristãos ousaram fazer um juramento semelhante, pois creem que tentariam Deus.

Mas engano-me, ao me referir a uma República Cristã: cada uma dessas duas palavras exclui a outra. O Cristianismo prega apenas servidão e dependência; seu espírito é muito favorável à tirania, para que ela não se aproveite sempre dele. Os verdadeiros Cristãos são feitos para serem escravos, sabem disso e não se importam; esta vida curta tem muito pouco valor a seus olhos.

Dizem-nos que as tropas cristãs são excelentes. Nego tal afirmação. Alguém pode mostrá-las? Quanto a mim, não conheço Tropas cristãs. Alguém citará as Cruzadas. Sem discutir sobre o valor das Cruzadas, lembrarei que, bem longe de serem Cristãos, eram soldados do padre, eram cidadãos da Igreja; lutavam por seu país Espiritual que ela tornou temporal, não se sabe como. Tomado ao pé da letra, isso se integra no paganismo. Como o Evangelho não estabelece nenhuma Religião nacional, toda guerra sagrada é impossível entre os Cristãos.

Sob o comando dos Imperadores pagãos, os soldados Cristãos eram bravos, isso é assegurado por todos os Autores Cristãos e eu acredito: tratava-se de uma emulação de honra contra as Tropas pagãs. Desde que os Imperadores se tornaram cristãos, essa emulação já não subsistiu mais, e, quando a cruz perseguiu a águia, desapareceu todo o valor romano.

Mas deixemos de lado todas as considerações políticas, voltemos ao direito e fixemos os princípios sobre esse ponto importante. O direito que o pacto social dá ao soberano sobre os súditos não ultrapassa – como já disse[213] – os limites da utilidade pública[t']. Portanto, os súditos só devem satisfação de suas opiniões ao Soberano enquanto interessam apenas à comunidade. Ora, é importante para o Estado que cada Cidadão tenha uma Religião que o faça amar seus deveres[214]; mas os dogmas dessa Religião só interessam ao Estado e a seus membros, quando esses dogmas dizem respeito à moral e aos deveres que aquele que a professa é obrigado a preencher em relação a outrem. Quanto ao restante, cada um pode ter as opiniões que lhe aprouver, sem que o Soberano tenha que conhecê-las: como não tem competência sobre o outro mundo, qualquer que seja a sorte dos súditos na outra vida não é assunto seu, desde que sejam bons cidadãos nesta.

Há então uma profissão de fé puramente civil[215] cujos artigos compete ao Soberano fixar, não exatamente como dogmas de Religião[201], mas como princípios de sociabilidade, sem os quais é impossível ser bom Cidadão ou súdito fiel[u']. Sem que possa obrigar alguém a acreditar neles, pode banir do Estado qualquer um que não acredite neles, pode bani-lo, não como ímpio, mas como insociável, como incapaz de amar sinceramente as leis, a justiça, e de imolar sua vida, sempre que necessário ao seu dever. Se alguém, depois de ter reconhecido publicamente esses mesmos dogmas, se comporta como se não acreditasse neles, que seja punido com a morte: cometeu o maior dos crimes, mentiu perante as leis.

Os dogmas da Religião civil[216] devem ser simples, em pequeno número, enunciados com precisão, sem explicações nem comentários[202]. A existência da Divina potência, inteligente, benfeitora, prevendo e prevenindo a vida futura, a felicidade dos justos, o castigo dos maus, a santidade do Contrato social e das Leis; esses são os dogmas positivos. Quanto aos dogmas negativos, limito-os a um só: trata-se da intolerância[217], que faz parte dos cultos que nós excluímos.

Na minha opinião, enganam-se aqueles que distinguem a intolerância civil e a intolerância teológica. Essas duas intolerâncias são inseparáveis. É impossível viver em paz com pessoas que julgamos perniciosas; amá-las seria odiar a Deus que as puniu: é absolutamente necessário convertê-las ou persegui-las. Em toda parte onde a intolerância teológica é admitida, é impossível que não surta qualquer efeito civil[v]; e quando isso ocorre, o Soberano não é mais Soberano mesmo daquilo que é temporal; logo os Padres são os verdadeiros mestres, e os Reis são apenas seus oficiais.

Agora, que não mais existe e que não mais pode existir Religião nacional exclusiva, devem-se tolerar todas aquelas que toleram as outras, desde que seus dogmas em nada contrariem os deveres do Cidadão. Mas alguém que ousa dizer, *fora da Igreja não há salvação*, deve ser cassado do Estado, a menos que o Estado seja a Igreja, e que o Príncipe seja o Pontífice. Tal dogma só é bom num governo Teocrático, em qualquer outro é pernicioso. A razão pela qual se diz que Henrique IV[219] abraçou a Religião romana deveria fazer todo homem honesto se afastar dela, principalmente, todo Príncipe que souber raciocinar.

Capítulo IX – Conclusão

Depois de ter fixado os verdadeiros princípios do direito político e de ter procurado fundar o Estado sobre sua base, resta apoiá-lo sobre suas relações exteriores, o que compreende o direito das gentes, o comércio, o direito da guerra e as conquistas, o direito público, as ligas, as negociações, os tratados etc. Mas isso tudo constitui um novo objeto, muito amplo para meus objetivos tão curtos; seria necessário trazê-los para mais perto de mim[220].

Notas

Do autor

a. "Os sábios tratados sobre o direito público são frequentemente a história dos antigos abusos, e agimos obstinadamente em relação a eles quando decidimos estudá-los em demasia". *Traité Manuscrit des Intérêts de la Fr. avec ses Voisins*; por M.L.d'A.[9] Foi precisamente isso que Grotius fez.

b. Cf. um pequeno tratado de Plutarco, intitulado *Os animais usam a razão*.

c. Entre os modernos desapareceu quase totalmente o verdadeiro sentido desta palavra: a maior parte toma um burgo por uma Cidade e um burguês por um Cidadão. Não sabem que as casas fazem o burgo, mas que os Cidadãos fazem a Cidade. No passado, esse mesmo erro custou caro aos Cartagineses. Nunca li que o título de *cives* tenha sido dado aos súditos de um Príncipe, nem mesmo antigamente aos Macedônios, nem na atualidade aos Ingleses, bem mais próximos da liberdade que outros quaisquer. Somente os Franceses tomam familiarmente essa palavra *Cidadãos*, porque não têm dela nenhuma verdadeira ideia, como se pode ver em seus Dicionários, sem o que, ao usurpá-la, caiam em crime de Lesa-Majestade: entre eles essa palavra exprime uma virtude e não um direito. Quando Bodin quis falar de nossos Cidadãos e Burgueses, fez uma ligeira confusão, ao tomar uns pelos outros. M. d'Alembert, no seu artigo *Genebra*, não se enganou, e distinguiu claramente as quatro ordens de homens (de fato cinco, contando-se os simples estrangeiros) existentes na nossa cidade e das quais apenas duas compõem a República[32]. Que eu saiba, nenhum outro autor francês compreendeu o verdadeiro sentido da palavra *cidadão*.

d. Esta igualdade é aparente e ilusória sob maus governos; serve apenas para manter o pobre na sua miséria e o rico na sua usurpação. Nesse caso, as leis são sempre úteis aos que têm posses, e prejudiciais aos que não têm nada; de onde se conclui que o estado social só é vantajoso aos homens quando têm alguma coisa e quando nenhum tem em excesso[45].

e. Para que uma vontade seja geral não é sempre necessário que seja unânime, mas é necessário que todos os votos sejam contados. Qualquer exclusão formal rompe a generalidade.

f. *Cada interesse,* afirma o sr. d'A., *tem princípios diferentes. O acordo entre dois interesses particulares se forma em oposição a um terceir*o. Pode-se acrescentar a essa afirmação que o acordo entre todos os interesses se firma por oposição ao de cada um. Se não houvesse interesses diferentes, mal se perceberia o interesse comum, que nunca enfrentaria obstáculos: tudo funcionaria por si mesmo e a política deixaria de ser uma arte.

g. *Vera cosa è*, diz Machiavel, *che alcune divisioni nuocono alle Republiche, e alcune giovano: quelle nuocono che sono dalle sette e da partigiani accompagnate: quelle giovano che senza sette, senza partigiani si mantengano. Non potendo adunque provedere un fondatore d'una Republica che non siamo nimicizie in quella, hà da proveder almeno che non vi siano sette.* Hist. Fiorent. L. VII[52].

h. Em razão da pobreza da língua, não pude evitar contradições; mas peço ao leitor atento que aguarde e não me acuse de antemão.

i. Não entendo por essa palavra apenas uma Aristocracia ou uma Democracia, mas, em geral, todo governo guiado pela vontade geral, que é a lei. Para ser legítimo, não é necessário que o Governo se confunda com o Soberano, mas que seja seu ministro: assim, mesmo a monarquia é república. Isso ficará mais claro no próximo livro.

j. Um povo só se torna célebre, quando sua legislação começa a declinar. Não se sabe durante quantos séculos a instituição de Licurgo fez a felicidade dos espartanos, antes que se tivesse notícia dela no resto da Grécia.

k. Aqueles que só consideram Calvino um teólogo, desconhecem a extensão de sua genialidade. A sua significativa participação na redação de nossos sábios editos honram-no tanto quanto sua instituição. Qualquer que seja a mudança que o tempo possa trazer ao nosso culto, enquanto o amor pela pátria e pela liberdade não se apagar entre nós, jamais a memória desse grande homem deixará de ser bendita.

l. *E veramente*, afirma Machiavel, *mai non fù alcuno ordinatore di leggi straordinarie in un popolo, che non ricorresse a Dio, perche altrimenti non sarebbero accettate; perche sono molti beni conosciuti da uno prudente, i quali non hanno in se raggioni evidenti da potergli persuadere ad altrum*. Discorsi sopra Tito Livio, L.I, Cap. XI[70].

m. Se entre dois povos vizinhos um não pode passar sem o outro, para o primeiro é uma situação muito dura, e para o segundo, muito perigosa. Em semelhante caso, toda nação sábia se esforçará rapidamente em libertar o outro dessa dependência. A república de Thlascala, encravada no Império do México, preferiu passar sem sal a comprá-lo dos mexicanos, ou mesmo aceitá-lo gratuitamente. Os sábios thlascalianos perceberam a armadilha oculta sob essa liberalidade. Conservaram-se livres e esse pequeno Estado, inserido dentro desse grande Império, foi finalmente a causa de sua ruína.

n. Quereis então dar consistência ao Estado? Reaproximai o máximo possível as situações extremas: não tereis nem pessoas opulentas nem miseráveis. Esses dois extremos, naturalmente inseparáveis, são igualmente funestos ao bem comum; de um saem os fautores da tirania, e de outro, os tiranos; é sempre entre eles que se faz o tráfico da liberdade pública: um compra-a e o outro a vende.

o. Qualquer ramo do comércio exterior, afirma M. d'Alembert, apenas mostra uma falsa utilidade para um reino em geral; pode enriquecer alguns particulares, até mesmo algumas cidades, mas a nação, como um todo, não ganha nada com isso, e nem o povo fica em melhor situação.

p. É por isso que em Veneza se dá ao colégio o nome de *sereníssimo Príncipe*, mesmo quando o Doge não está presente.

q. O Paladino de Posnânia, pai do rei da Polônia, duque da Lorena.

r. É claro que a palavra *Optimates* entre os antigos não queria dizer os melhores, mas os mais poderosos.

s. É muito importante regular, por meio de leis, a forma de eleição dos magistrados: pois deixando-a entregue à vontade do Príncipe, não se pode evitar que caia na Aristocracia hereditária, como aconteceu com as Repúblicas de *Veneza* e *Berna*. Depois de algum tempo, a primeira tornou-se um Estado em dissolução, mas a segunda mantém-se em virtude da extrema sabedoria do seu senado – trata-se de uma exceção bastante honrosa e bastante perigosa.

t. Tácito. Hist. L. I[116].

u. in *Civili*[119].

v. Isso não contradiz o que afirmei, no Livro II, capítulo IX, sobre o inconveniente dos grandes Estados: lá, tratava-se da autoridade do governo sobre seus membros, e aqui da sua força contra seus súditos. Seus membros esparsos servem-lhe de pontos de apoio para agir a distância sobre o povo, mas não possui nenhum ponto de apoio para agir diretamente sobre seus próprios membros. Assim, num dos casos, o comprimento da alavanca causa fraqueza, e no outro, a força.

x. Deve-se julgar, pelo mesmo princípio, séculos que merecem ser salientados devido à prosperidade do gênero humano. Admira-se muito aqueles onde se viram florir as letras e as artes, sem penetrar o objeto secreto de sua cultura, sem se considerar seu efeito funesto, *idque apud imperia humanitas vocabitur, cum pars senitulis esset*[129]. Não se percebe nas máximas dos livros o interesse grosseiro da fala dos Autores? Não; o que quer que possam dizer, quando, apesar de seu brilho, um país se despovoa, não é verdade que tudo vai bem, e não é suficiente que um poeta tenha cem mil libras de renda para que seu século seja o melhor de todos. É melhor dar menos atenção à calma aparente e à tranquilidade dos chefes, do que ao bem-estar das nações, tomadas como um todo e sobretudo dos estados mais numerosos. A geada arrasa alguns cantões, mas raramente causa a miséria. Os levantes, as guerras civis atrapalham bastante os chefes, mas não são os verdadeiros incômodos dos povos, que podem mesmo ter momentos mais distendidos, enquanto se disputa quem irá tiranizá-los. É do seu estado permanente que nascem suas prosperidades ou suas calamidades reais; quando tudo permanece arrasado sob o jugo, aí então tudo perece; é aí que os chefes, destruindo-os de acordo com sua vontade, *ubi solitudinem faciunt, pacem appelant*[130]. Quando as falcatruas dos Grandes agitaram o reino de França e quando o coadjutor de Paris[131] foi ao Parlamento com um punhal no bolso, isso não impediu que o povo Francês vivesse feliz e numeroso em uma honesta e livre abundância.

Outrora a Grécia floresceu em meio às guerras mais cruéis; o sangue jorrava e todo o território estava coberto de homens. Segundo Maquiavel, parece que no meio dos mortos, dos proscritos, das guerras civis, nossa república tornava-se mais poderosa; a virtude de seus cidadãos, seus costumes, sua independência tiveram mais efeito, para reforçá-la, do que todas as dissensões, para enfraquecê-la. Um pouco de agitação dá ânimo às almas, e o que faz de fato a espécie prosperar é menos a paz que a liberdade[132].

y. A lenta formação e o progresso da República de Veneza, através de suas lagunas, oferece um exemplo notável dessa sucessão, e é muito surpreendente que, depois de mais de mil e duzentos anos, os venezianos parecem estar ainda apenas na segunda fase que começa no *Serrar di Consiglio*[133] em 1198. Quanto aos antigos Duques por mais que se reprovem, apesar do que diz o *Squitinio Della Libertà Veneta*[134], está provado que eles não foram seus Soberanos. Não faltará objeção quanto à República Romana que, pode-se dizer, seguiu um progresso inverso, passando da monarquia à Aristocracia, e da Aristocracia à Democracia. Estou bem longe de pensar dessa forma. Aquilo que primeiro Rômulo estabeleceu foi um Governo misto, que degenerou rapidamente em despotismo. Por motivos particulares, o Estado perece antes do tempo, da mesma forma que se vê morrer um recém-nascido, antes de atingir a idade adulta. A verdadeira época do nascimento da República foi a expulsão dos Tarquínios. Mas a princípio não tomou uma forma estável, pois se deixou a obra pela metade ao não abolir o patriciato. Dessa maneira, a Aristocracia hereditária, que é a pior das administrações legítimas, permanecendo em conflito com a Democracia, a forma de Governo sempre incerta e oscilante, só foi fixada, quando do estabelecimento dos Tribunos, como demonstrou Maquiavel. Só então tiveram um verdadeiro Governo e uma verdadeira Democracia. De fato, o povo não era somente Soberano, mas também magistrado e juiz, o Senado era apenas um tribunal subordinado para temperar ou concentrar o Governo, e os próprios Cônsules, apesar de patrícios, de primeiros-magistrados, e Generais absolutos na guerra, em Roma eram apenas os presidentes do povo. Desde então vimos o Governo tomar sua inclinação natural e tender fortemente para a Aristocracia. Abolindo-se o Patriciato como que por si mesmo, a Aristocracia não mais fazia parte do corpo dos Patrícios como acontecia em Veneza e em Gênova, pertencendo ao corpo do Senado composto de Patrícios, e de Plebeus, e até mesmo ao corpo dos Tribunos, quando começaram a usurpar um poder ativo. As palavras não têm nenhuma influência sobre as coisas, e quando o povo tem chefes que governam por ele, qualquer que seja o nome que lhe seja atribuído, trata-se sempre de uma Aristocracia. As guerras civis e o Triunvirato nasceram do abuso da Aristocracia. De fato, Silla, Júlio César e Augusto tornaram-se verdadeiros Monarcas e finalmente o Estado dissolveu-se sob o despotismo de Tibério. Portanto, a história Romana não desmente meu princípio: ela o confirma.

w. *Omnes enim et habentur et dicuntur Tyranni qui potestate utuntur perpetua, in ea Civitate quae libertate usa est*[138]. Corn. Nep. in *Miltiad*. É verdade que Aristóteles em *Etica Nicom.*, L.VIII c. 10, distingue o Tirano do Rei, ressaltando que o primeiro governa em seu próprio proveito e o segundo apenas no de seus súditos. Mas sobretudo porque geralmente os autores gregos tomaram a palavra Tirano em outro sentido, como aparece no *Hièron*, de Xenofonte, concluiu-se da diferenciação de Aristóteles que, depois do início do mundo, ainda não existiu um único Rei.

z. Mais ou menos no sentido que se dá a esse nome, no Parlamento da Inglaterra[144]. A semelhança desses dois empregos colocou em conflito os Cônsules e os Tribunos, mesmo quando suspensa toda a jurisdição.

a'. Nos países frios adotar o luxo e a moleza dos orientais é querer dar-se a si próprio grilhões; é submeter-se aos ferros ainda mais necessariamente do que eles.

b'. Foi o que me propus fazer ao longo desta obra, quando, ao tratar das relações externas, discutisse as confederações. Trata-se de matéria totalmente nova e onde ainda é preciso estabelecer os princípios.

c'. Fica claro que não se pode escamotear seu dever e isentar-se de servir à pátria no momento em que ela tem necessidade de nós. A fuga seria criminosa e punível: não seria retirada, mas deserção.

d'. Isso deve ser entendido sempre em relação a um Estado livre, pois em outros a família, os bens, a negação de asilo, a necessidade, a violência, podem reter um habitante no país contra a sua vontade, e assim, sua permanência por si só não supõe seu consentimento ao contrato ou sua violação.

e'. Em Gênova, lê-se na fachada das prisões e nos ferros dos forçados às galés a palavra *Libertas*. A Aplicação dessa divisa é bela e justa. Com efeito, só os malfeitores de todos os estados impedem o Cidadão de ser livre. Em um país onde todas essas pessoas estivessem nas galeras seria possível gozar da mais perfeita liberdade.

f'. O nome de Roma, que acreditamos derivar de Rômulo, é grego, e significa força; também o nome de Numa é grego e significa Lei. O que dizer do fato de os dois primeiros Reis dessa cidade terem usado por antecipação nomes tão de acordo com o que fizeram?

g'. Ramnenses.

h'. Tatienses.

i'. Luceres.

j'. Digo no *Campo de Marte*, porque era aí que se reuniam os Comícios por centúrias; nas outras duas formas o povo se reunia no *forum* ou em outro lugar, e dessa forma os *Capite censi* tinham tanta influência e autoridade quanto os primeiros Cidadãos.

k'. Essa centúria, tirada ao acaso, chamava-se *prae rogativa*, em razão de ser a primeira a quem se perguntava seu sufrágio, e é daí que veio a palavra *prerrogativa*.

l'. Custodes, Diribitores, Rogatores suffragiorum[189].

m'. Essa nomeação era feita de noite e em segredo, como se causasse vergonha colocar um homem acima das leis.

n'. É o que ele não podia garantir, ao propor um Ditador, não ousando nomear-se a si próprio e não podendo assegurar-se que seu colega o nomearia.

o'. Nada mais faço do que indicar neste capítulo aquilo que tratei mais amplamente na *Carta ao Sr. d'Alembert*.

p'. *Nonne ea quae possidet Chamos deus tuus tibi jure debentur?* Tal é o texto da vulgata. O P. de Carrieres traduziu-o. *Não acreditais ter o direito de possuir aquilo que pertence ao vosso Deus Chamos?* Ignoro a força do texto hebreu; mas vejo que na vulgata Jefté reconhece positivamente o direito do Deus Chamos, e que o tradutor francês enfraqueceu esse reconhecimento com um *segundo vós* que não está no latim.

q'. É de fácil evidência que a guerra dos Fócios, chamada guerra santa, não foi absolutamente uma guerra de Religião. Tinha como objetivo punir sacrilégios e não submeter os incrédulos.

r'. É importante notar que não são tantas assembleias formais, com as da França, que ligam o clero em um corpo, que a comunhão das Igrejas. A comunhão e a excomunhão são o pacto social do clero, pacto esse por meio do qual ele será sempre o senhor dos povos e dos Reis. Todos os padres que comungaram juntos são concidadãos, sejam eles dos dois extremos do mundo. Essa invenção é uma obra-prima em política. Não há nada de semelhante entre os Sacerdotes pagãos; por isso vemos que eles jamais formaram um corpo de clero.

s'. Cf. entre outros, uma Carta de Grotius a seu irmão, de 11 de abril de 1643, o que esse homem sábio aprova e o que ele recusa no livro *De Cive*. É verdade que, movido pela indulgência, parece que ele perdoa ao autor o mal em favor do bem; mas nem todo mundo é tão paciente.

t'. *Na República*, diz o Sr. d'Alembert, *cada um é totalmente livre naquilo que não incomoda os outros*. Esse é o limite invariável: não pode ser colocado de forma mais exata. Não pude furtar-me ao prazer de citar algumas vezes esse manuscrito, mesmo que pouco conhecido do público, para homenagear a memória de um homem ilustre e respeitável, que mesmo no Ministério conservou o coração de um verdadeiro cidadão, e olhos retos e sãos para o governo de seu país.

u'. César, defendendo Catilina, tratou de estabelecer o dogma da mortalidade da alma. Catão e Cícero, para refutá-lo, não se puseram a filosofar, contentaram-se em mostrar que César falava como mau cidadão e desenvolvia uma doutrina perniciosa ao Estado. De fato, era sobre isso que devia julgar o Senado de Roma, e não sobre uma questão de teologia.

v'. O casamento, por exemplo, sendo um contrato civil, tem efeitos civis, sem os quais seria mesmo impossível que a sociedade subsistisse. Suponhamos que um Clérigo chegue ao ponto de atribuir só a si o direito de fazer esse contrato, direito que deve necessariamente usurpar em toda Religião intolerante. Então, está claro que, fazendo valer com relação a isso a autoridade da Igreja, tornará vã a do Príncipe, que não terá mais súditos, além daqueles que o Clero quiser lhe dar. Senhoras de casar ou de não casar, as pessoas, segundo tenham ou não tal ou qual doutrina, segundo admitam ou rejeitem tal ou qual código, segundo sejam mais ou menos devotos – conduzindo-se prudentemente e mantendo-se firmes, não fica claro que disporão sozinhos das heranças, dos tributos dos Cidadãos, do próprio Estado, que não saberia sobreviver, estando composto apenas por bastardos? Mas alguém pode dizer: será citado nos tribunais por abuso, será intimado, será sentenciado, será atingido pelo temporal. Que lástima! O Clero, por pouco que tenha – já não digo coragem, mas bom-senso – deixará que as coisas aconteçam, seguindo adiante. Deixará tranquilamente citar, intimar, sentenciar, prender, e acabará por ser o senhor. Parece-me que não é um grande sacrifício abandonar uma parte, quando se está certo de se apoderar do todo[218].

Da tradutora

1. "As leis justas da federação".

2. Essa forma de se referir ao texto do *Contrato social* é recorrente nas obras de Rousseau,

o que demonstra a importância que ele próprio dava ao seu livro, embora alguns comentadores afirmem o contrário. Na sequência do parágrafo, faz uma alusão às *Institutions Politiques*, que teriam sido seu primeiro grande projeto, embora depois tenha decidido abandoná-lo, como ele mesmo afirma nas *Confessions*: "Tinha concebido projetos magníficos [...] Entre as diferentes obras que estavam em andamento, aquela sobre a qual meditava há muito tempo e de que me ocupava com o maior gosto, na qual queria trabalhar durante toda a minha vida e que na minha opinião deveria garantir minha reputação, eram as Instituições Políticas [...] Examinei o estágio desse livro e percebi que ainda seriam necessários vários anos de trabalho. Não tive a coragem de prossegui-lo e de esperar que estivesse terminado para executar minha resolução. Assim, renunciando a essa obra, resolvi destacar dela aquilo que pudesse ser separado e queimar todo o restante, continuando esse trabalho com zelo, sem interromper o do *Emílio*; em menos de dois anos dei ao *Contrato Social* seu acabamento final". *Confessions*. In: Pléiade, vol. I, livros 9 e 10, p. 404 e 516.

3. Rousseau quer discutir a organização geral da sociedade e para isso é preciso esclarecer se é fundada por alguma regra, ou seja, pela vontade geral, que fundamentaria as ações do corpo social. Cf. tb. p. 27 e 28 do *DEP*. neste volume.

4. Trata-se da República de Genebra e da sua organização social e política. "Genebra possuía quatro ordens sociais: cidadãos, burgueses, habitantes e nativos. Os primeiros tinham todos os direitos civis e políticos, eram autóctones e descendiam de outro cidadão. Quanto aos burgueses, como não nasceram cidadãos, compraram as *lettres de bourgeoisie*, que lhes davam direito a votar no *Conseil*, embora não pudessem ser eleitos para os principais postos; tinham livre participação no comércio e na indústria e só eram expulsos por

julgamento. Os nativos eram filhos de estrangeiros, mas nascidos em Genebra. Quanto aos habitantes, eram estrangeiros que adquiriram o direito de morar em Genebra, pagando impostos mais elevados que os cidadãos e burgueses. Estas duas últimas classes não podiam exercer profissões lucrativas e, quando recebiam autorização para isso, eram tantos os entraves, que a concorrência com os burgueses e cidadãos tornava-o impossível. Dava-se o nome de súditos aos soldados mercenários, aos camponeses de territórios subordinados a Genebra e aos mendigos da cidade. [...] Do ponto de vista da estrutura política, existiam três órgãos: o *Conseil General*, que abarcava os cidadãos e burgueses com mais de 25 anos, cabendo-lhe pronunciar-se sobre o direito de guerra e paz, fazer alianças e instituir novos impostos; elegia também os principais magistrados e aprovava os novos editos; detinha o poder legislativo, respondendo portanto pelos atos de soberania. Já o *Petit Conseil* e os *syndics* tratavam dos assuntos cotidianos, tanto civis quanto criminais; era formado por vinte conselheiros, um tesoureiro, dois secretários de Estado e cinco responsáveis pelos assuntos jurídicos (conforme artigo de d'Alembert – Genève – na Encyclopédie, tomo VII), constituía assim o poder executivo, cabendo-lhe os atos de governo; os *syndics* eram renovados a cada quatro anos, retirando-se do *Petit Conseil* um grupo de 25 magistrados, conhecido como *Conseil des 25*. Finalmente, o *Grand Conseil* ou *Conseil des Deux-Cents* era formado por 250 representantes da burguesia e dos cidadãos, julgava as causas civis, tinha poder de indulto, podia imprimir moeda, elegia os membros do *Petit Conseil* e deliberava também sobre os assuntos que deveriam ser enviados ou não ao *Conseil General*; foi instituído só depois da Reforma. Com o passar do tempo, algumas excrescências desfiguraram o equilíbrio entre eles; os síndicos passaram a ser escolhidos entre os 25, que, por sua vez, eram originários do *Petit Conseil*; este e o *Grand Conseil* passaram a nomear-se um ao outro, favorecendo assim a formação de uma oligarquia". M. Constança Peres Pissarra. *Religião civil e intolerância: uma análise das Lettres Ecrites de la Montagne*. São Paulo: PUC-SP, 1988 [Dissertação de mestrado].

É interessante notar que no *Discours sur l'Origine de l'Inégalite* Rousseau identifica "o Povo e o Soberano como uma mesma pessoa" (Cf. Pléiade, vol. III, p. 112). Já nas *Lettres Ecrites de la Montagne*, identifica a noção de soberano e o Conselho Geral de Genebra (Cf. Pléiade, vol. III, Lettre VII, p. 824). Como afirma Robert Derathé no seu comentário a essa edição, p. 1.432, n. 3, trata-se no primeiro exemplo de uma referência mais geral e no segundo de um sentido mais preciso da noção de soberano, ao identificá-lo com o Conselho Geral, em oposição ao Pequeno Conselho.

5. A nota de Robert Derathé sobre essa questão é tão esclarecedora, que merece ser citada na íntegra: "Conforme livro IV, cap. II: 'Tendo todo homem nascido livre e senhor de si mesmo, ninguém pode – sob qualquer pretexto – submetê-lo sem seu consentimento'". Essa fórmula: o homem nasceu livre, talvez represente, sob a pena de Rousseau, uma réplica da de Bossuet (*Politique tirée des propres paroles de l'Écriture sainte*, 1. II, art. I, prop. VII, Paris, 1709, in 4º, p. 69): "Os homens nascem todos subjugados". A noção da liberdade natural do homem é um tema comum a Rousseau e à maioria dos teóricos da Escola do Direito natural. Como indica Pufendorf (*Droit de la Nature et des gens*, livre III, cap. II, 8, trad. Barbeyrac, Bâle, 1750, t. I, p. 367), ela remonta aos jurisconsultos romanos: "Os Jurisconsultos Romanos reconheceram com precisão que, segundo o Direito Natural, todos os Homens nascem livres". "Utpote cum jure naturali omnes liberi nascerentur" *(Digeste, lib. I, De Justitia et Jure*, leg. IV). A originalidade de Rousseau está em ter afirmado que essa liberdade natural é inalienável e que nenhum homem tem o direito de se despojar dela, qualquer que seja o pretexto. Cf. *Du*

Contrat Social, 1. I, cap. IV: "Renunciar à sua liberdade é renunciar à sua qualidade de homem". Finalmente, sabemos que a concepção de Rousseau será retomada na *Declaração dos Direitos do Homem e do Cidadão* (1789), artigo I: "Os homens nascem e permanecem livres, e iguais em direitos". Pléiade, vol. III, nota 5, p. 1.433.

6. Também no *DEP* (cf. parte I, p. 42-43), Rousseau se refere à ordem social como um direito sagrado.

7. A relação entre pais e filhos estabelece uma sociedade natural, isto é, a conservação dos filhos é garantida pelo pai para que sua sobrevivência seja assegurada, caso contrário pereceriam. Essa necessidade confere ao pai poder sobre os filhos, enquanto os filhos permanecerem tutelados. Opondo-se àqueles que relacionavam o poder do pai, do rei e de Deus – como os defensores da origem divina do poder real que viam apenas uma diferença de grau entre a sociedade familiar e a sociedade civil – Rousseau não só rejeita as afirmações dos principais representantes dessa concepção, Robert Filmer e Jean Bodin, mas também inspira-se, principalmente, no texto de John Locke: "O poder que os pais exercem sobre seus filhos procede do dever que os incumbe de zelar por sua descendência, enquanto durar a condição imperfeita da infância [...] Pode-se compreender de que maneira os pais podem conservar poder sobre seus filhos e exigir sua submissão, em sociedades onde eles próprios têm a condição de súditos". J. Locke. *The Second Treatise of Civil Government*. Oxford: Basil Blackwell, 1946, cap. VI, 58 e 71. Cf. a esse respeito a nota 6 do *DEP*.

8. Hugo Grotius. *Droit de la Cuerre et de la Paix*. Tradução e comentário de J. Barbeyrac. Amsterdã, 1724, publicação da Université de Caen, 1. I, cap. III, 15, p. 129: "É possível extrair um outro argumento daquilo que dizem os Filósofos, a saber, que todo Poder é estabelecido em favor daqueles que são governados, e não em favor daqueles que governam. A consequência

dessa afirmação é que aqueles que são governados estão acima daqueles que governam, uma vez que os Fins são passíveis de maior consideração do que os Meios. Mas geralmente não é uma verdade sem restrições, que todo o Poder seja estabelecido em favor daqueles que são governados. Há Poderes que por si sós são estabelecidos em favor daquele que governa, como o Poder de um Senhor sobre seu escravo, porque a vantagem que o escravo retira dessa relação é algo exterior e acidental".

Neste parágrafo e no próximo, Rousseau repudia qualquer possibilidade de reconhecimento do poder de um homem sobre os outros, criticando, além de Grotius, também Hobbes (*De Cive*, Parte II, cap. V, 8 e 11; cap. VII, 7).

9. Esse texto do Marquês d'Argenson, René-Louis de Voyer de Paulmy, foi editado em 1764 em Amsterdã pelo mesmo editor de Rousseau, Marc-Michel Rey. Em 1754, d'Argenson concorreu também ao concurso da Academia de Dijon, mas tanto seu texto quanto o de Rousseau foram rejeitados.

10. Fílon foi certamente o maior representante da filosofia judaico-alexandrina, tendo nascido entre 30 e 20 a.C. em Alexandria. "O relato de Fílon" refere-se à afirmação de Calígula de que teria uma natureza superior à de seus súditos, em razão da tarefa para a qual teria nascido. De acordo com Robert Derathé (Pléiade, p. 1.435, nota 3), Rousseau provavelmente leu o texto do *De Legatione ad Caium* na tradução de Arnauld d'Andilly de 1668, cujo título era *Relation faite par Philon de l'Ambassade dont il était le chef, envoyée par les juifs d'Alexandrie vers l'Empereur Caius Caligula* e que fazia parte da *Histoire des Juifs de Flavius Josèphe*, tomo II. Paris, 1687, in fol. p. 486: "Calígula acreditava então que, não havendo mais ninguém que ousasse se opor às suas vontades, ele não deveria contentar-se com as maiores honras que pudessem ser dadas aos homens, mas que ele podia aspirar àquelas que só se prestam a Deus.

E diz-se que, para se persuadir a si mesmo de tão grande extravagância, raciocinava da seguinte forma: da mesma forma que aqueles que conduzem rebanhos de bois, de carneiros e de cabras, não são nem bois, nem carneiros, nem bodes, mas homens de uma natureza infinitamente mais superior que a dos animais, da mesma forma aqueles que comandam a todas as criaturas do mundo merecem ser considerados como sendo muito mais do que homens e devem ser vistos como Deuses".

11. Rousseau refere-se à passagem polêmica da *Política* de Aristóteles, onde este afirma: "De fato, ser capaz de prever pelo pensamento, significa estar apto por natureza a comandar, ou seja, ser mestre por natureza, enquanto que ser capaz de executar fisicamente suas tarefas significa ser destinado a ser comandado, ou seja, ser escravo por natureza". Aristote. *Politique*. Ed. bilíngue traduzida por Jean Aubonnet. Paris: Les Belles Lettres, 1960, vol. I, cap. I, 2, 1252a35.

Aristóteles não faz nesse texto uma apologia da escravidão ou do poder do mestre sobre o escravo, justificando assim que uns mandem e que outros obedeçam, embora uma leitura isolada desse trecho possa causar essa compreensão. Na *Ética a Nicômaco* afirma que a lei deve igualar aquilo que a natureza diferenciou, uma vez que a justiça é o equilíbrio entre dois extremos: "Uma vez que o homem injusto não respeita a igualdade e que a injustiça se confunde com a desigualdade, é evidente que há uma justa medida em relação à desigualdade [...] Se as pessoas não são iguais, elas não serão tratadas com a mesma igualdade [...] No que diz respeito às divisões, todos estão de acordo em que devem ser feitas de acordo com o mérito de cada um [...] Assim, o justo é, de certa forma, uma proporção". Aristóteles. *Éthique à Nicomaque*. Paris: Garnier-Flammarion, 1965, livro V, cap. III, p. 128-129.

12. Como já comentado na nota 7, Rousseau nega qualquer tentativa de originar o poder dos

reis do poder de Deus, justificando assim sua necessidade e a obrigação de obedecer-lhe. Neste parágrafo radicaliza sua posição, ironizando sobre a possibilidade de ser ele o rei do gênero humano, por descender diretamente dos Patriarcas.

13. Como lembra Robert Derathé nas suas notas, Pléiade, vol. III, p. 355, n. 1, Rousseau refere-se ao poder de origem divina, recorrendo à célebre máxima de São Paulo, já que esse texto serviu de inspiração para os defensores da "obediência passiva", frente ao poder real, uma vez que este derivava de Deus (cf. notas 7 e 12). Mas, como bem mostra o texto, a referência só tem o propósito de reforçar a posição contrária de Rousseau à obediência de qualquer poder que não seja legítimo, consequentemente, ao direito do mais forte. A passagem de São Paulo na Epístola aos Romanos (13,1-7) merece ser citada pela sua clareza e precisão: "Toda a alma esteja sujeita aos poderes superiores, porque não há poder que não venha de Deus e os que existem foram instituídos por Ele. Aquele, pois, que resiste à autoridade, resiste à ordenação de Deus. E os que resistem, atraem sobre si próprios a condenação. Com efeito, os príncipes não são para temer pelas ações boas, mas pelas más. Queres, pois, não temer a autoridade? Faze o bem e terás o louvor dela, porque ela é ministro de Deus para teu bem [...] É, pois, necessário que lhe estejais sujeitos, não somente pelo temor da ira, mas também por motivo de consciência. De fato, também por essa causa é que pagarás os tributos, pois são ministros de Deus, servindo-os nisso mesmo. Pagai, pois, a todos o que lhes é devido: a quem tributo, o tributo; a quem imposto, o imposto; a quem temor, o temor; a quem honra, a honra". *Bíblia Sagrada*. Trad. da Vulgata por Pe. Matos Soares. São Paulo: Paulinas, 1976, 33. edição.

14. Ao final do capítulo anterior, Rousseau deixa evidente que a colocação inicial do primeiro capítulo ainda aguarda uma resposta, uma vez que já refu-

tou que o fundamento da autoridade possa ser Deus ou a força, restando apenas as convenções, como legitimadoras de qualquer poder. Mas, nesse ponto, faz-se necessário um esclarecimento: nenhuma convenção implica perda da liberdade. O pacto que ela estabelece não é um pacto de submissão, como defendiam alguns teóricos do direito natural (Hobbes, Grotius e Pufendorf). Mais do que pensar essa questão do ponto de vista individual, Rousseau está interessado na possibilidade de um povo se submeter à autoridade de um homem de forma legítima. Assim, a necessidade de discutir a escravidão neste momento do texto, mas, não a natural, que já foi discutida mais anteriormente, mas a que está diretamente relacionada com uma convenção.

15. "Para falar com propriedade, quando se aliena um povo, não são os Homens de que ele é composto que são alienados, mas o direito perpétuo de governá-los, considerado como o corpo de um Povo". H. Grotius. Op. cit., livro I, cap. III, 12, p. 127. O mesmo tema reaparece no cap. VII do livro III.

16. François Rabelais (1494-1553), escritor francês, médico, beneditino, típico representante da erudição humanista do Renascimento, autor da *Vie lnestimable du Grand Gargantua, père de Pantagruel.*

17. Segundo Grotius, um povo oprimido pela penúria se entregaria a um senhor para poder sobreviver, abandonando assim sua soberania: entre a sobrevivência e a liberdade, optar-se-ia pela primeira. M. Holbwachs – na sua edição comentada do *Du Contrat Social* de 1934, p. 65 – lembra que durante o feudalismo, quando o vassalo se entregava a um senhor, fazia-o em troca da proteção que este podia lhe dar, não se tratando, portanto, nem de venda, nem de doação.

18. É Hobbes quem afirma que a finalidade da sociedade civil é a paz: "A união assim obtida chama-se Estado ou Sociedade Civil, ou ainda pessoa civil. Com efeito, sendo a vontade de todos uma só, esta

deve ser considerada uma pessoa; há de ser conhecida e distinguida, em relação a todos os indivíduos particulares, através de um só nome, mantendo seus direitos e propriedades. Desse modo nem o cidadão isolado nem todos ao mesmo tempo, à exceção daquele cuja vontade representa a de todos, podem ser tomados como Estado. Definindo, portanto. Estado é uma pessoa cuja vontade, resultante do pacto de muitos homens, é aceita como vontade de todos os homens a fim de poder utilizar a força e os recursos de cada um para a paz e a defesa comum". Thomas Hobbes. *De Cive* [...], Secção II, cap. V, 9 (cf. vol. 13 desta coleção).

19. Rousseau retoma aqui o comentário de Locke: "Quem não admiraria o tratado de paz assinado entre os poderosos e os fracos, quando o carneiro, sem resistir, oferecesse sua garganta ao lobo imperioso para que este a devorasse? A gruta de Polifemo nos fornece o modelo perfeito de uma paz desse tipo, quando sob esse governo Ulisses e seus companheiros nada mais têm a fazer a não ser deixar-se devorar sem dizer nada. Com certeza, Ulisses, que era um homem prudente, pregava a seus companheiros a obediência passiva e os exortava a se submeterem em silêncio, mostrando-lhes quanto a paz é importante para a espécie humana e os males a que eles se arriscavam, se demonstrassem resistência a Polifemo, que no momento tinha poder sobre eles". Op. cit., cap. XIX, 228, p. 111-112. Locke, por sua vez, faz referência à *Odisseia*, 1, IX.

20. Este parágrafo ressalta duas contradições:

– o homem nasce livre e, portanto, só mantém esse estado se sua liberdade pertencer só a ele; se puder ser alienada – caso a alienação dos pais valesse para os filhos – não mais nasceria livre;

– um governo arbitrário que precise ser confirmado a cada geração não é mais arbitrário.

Esta discussão está presente também no *Discours sur l'Inegalité* e *Émile*.

21. Não é possível legitimar a escravidão, nem por meio da natureza, nem através de uma convenção entre os vencedores e os vencidos, como querem aqueles que defendem a escravidão, baseados no direito de guerra, como Hobbes, Grotius e Pufendorf. Por meio da guerra é possível apenas destruir o Estado inimigo – um ser moral – não resultando daí qualquer direito de guerra que garanta direito de vida e de morte sobre os vencidos. Maurice Halbwachs, na edição já citada acrescenta um outro autor que teria influenciado Rousseau, e que não foi citado pelos comentadores – Montesquieu: "Só se tem o direito de reduzir alguém à escravidão, quando isso for necessário para a manutenção da conquista. O objetivo da conquista é a conservação; a servidão nunca é o objetivo da conquista, mas pode acontecer que seja um meio naturalmente necessário para a conservação. Nesse caso, é contra a natureza da conquista que essa servidão seja eterna. É necessário que o povo escravo possa tornar-se súdito. A escravidão na conquista é algo acidental". De L'Esprit des Lois. In: *Oeuvres Complètes*. Paris: Chez E.A. Lequien, MDCCCXIX, tomo I, vol. 2-4, livro X, cap. III, p. 227-228.

Cf. tb., em relação à concepção de Grotius sobre a escravidão, as indicações da nota 15.

22. Novamente uma crítica a Hobbes, para quem o estado de natureza é sinônimo do estado de guerra, uma vez que são a necessidade e o interesse que movem os homens. Cf. *Leviathan*, cap. XIII e *De Cive*, Parte I, cap. I, 2 e 12.

23. Louis IX ou Saint Louis, rei da França de 1226 a 1270.

24. Cf. *DEP*, nota 20, neste volume.

25. Cf. nota 21.

26. Rousseau critica a referência de Grotius aos poetas, mas este mesmo afirma que faz uso do recurso de forma ilustrativa, como seus contemporâneos: "As

afirmações dos Poetas e dos Oradores não têm tanta autoridade. E se frequentemente recorremos a elas, é muito mais para ornar e ilustrar nossos pensamentos, do que para apoiá-los". Op. cit. *Discours Préliminaire*, 48, p. 31.

27. O que caracteriza a formação de um povo não é a simples reunião de vários homens; é preciso que haja uma ação moral que o transforme em um corpo político, ou seja, uma convenção. Caso contrário, temos mera relação física, uma agregação de homens. Pufendorf discute a teoria do duplo contrato (associação e submissão): "É preciso, agora, analisar como se formam sociedades civis [...] Para melhor entender a natureza da união que constitui as Sociedades Civis, é preciso acrescentar que, enquanto várias Pessoas Físicas não estão reunidas em uma única Pessoa Moral, elas não agem e não contraem alguma obrigação, a não ser cada uma por si e por seu chefe, de modo que há tantas ações e obrigações particulares quantos são os indivíduos existentes [...] Para que uma Multidão de pessoas se torne uma única Pessoa, à qual se possa atribuir uma única ação, e que tenha certos direitos, por oposição a cada Particular, é necessário que toda essa gente junta tenha, de comum acordo, unido suas vontades e suas forças por meio de alguma Convenção, sem a qual não se saberia conceber a união de várias pessoas naturalmente iguais". Le Baron de Pufendorf. *Le Droit de la Nature et des Gens ou Système Général des Principes les plus Importants de la Morale, de la Jurisprudence, et de la Politique*. Traduzido por Jean Barbeyrac. Basle: Emanuel Thourneisen, MDCCLXXI, tomo 2, livro VII, cap. I, II, III e VI, p. 279-280, 285-286.

28. Cf. op. cit., livro I, cap. III, p. 107-168. Rousseau certamente não poderia concordar com essa defesa da tirania; e, como está explicado na nota anterior, antes de discutir o ato pelo qual um povo escolhe um rei, é fundamental esclarecer o que faz com que um povo seja de fato um povo, pois esse ato é uma delibera-

ção pública, consciente e que a todos compromete com as decisões e objetivos de uma sociedade. Assim – e só dessa forma – será possível falar da soberania popular.

Segundo o comentário de Holbwachs a este capítulo, Bossuet contribuiu significativamente para a reflexão de Rousseau. Para ele, é necessário que um povo seja um povo antes de tudo, e nisso estão de acordo, mas, na sequência, Bossuet define a soberania como a renúncia dos particulares em favor de um chefe, da mesma forma que Hobbes: "Só há a unidade de um povo, quando cada um, renunciando à sua vontade, transfere-a e a reúne na do príncipe e magistrado. De outra forma não há união; os povos vagueariam errantes, como um rebanho disperso". Jacques-Bénigne Bossuet. *Politique tirée des propres Paroles de l'Écriture Sainte*. Genebra: Librairie Droz, 1967, livro I, art. 111, prop. III, p. 18-19.

29. Ao final deste segundo parágrafo, fica claro que Rousseau não privilegia o contrato de uma perspectiva histórica; ao contrário, trata-se de uma suposição, de uma hipótese, que não tem como objetivo demonstrar a existência cronológica e de fato do contrato, e sim explicar sua constituição e sua necessidade. Portanto, o que se discute nesse capítulo é uma concepção artificial da sociedade; o contrato tem um valor simbólico.

30. No estado de sociedade, o direito natural deixa de existir: ou os homens alienam todos os seus direitos igualmente, ou não pode haver contrato, se algum direito anterior subsistir a ele. É preciso negar a liberdade para tê-la: nega-se o direito natural para realizá-lo. Ao perder a liberdade individual, os homens ganham a liberdade política; como todos "perdem", o resultado final é que todos recuperam – mas de forma igual e convencional – aquilo que aparentemente perderam. Em sociedade não há direitos naturais, só direitos civis, pois não é um homem ou um grupo de homens que regulamenta as relações sociais, e sim as leis, o que garante que o mais forte não seja protegido

em detrimento do mais fraco: ao tornar algo oneroso para os outros membros da sociedade, aquele que foi o causador também será onerado, não havendo então o interesse de fazê-lo. Ora, fora da igualdade estabelecida pela lei, tudo funcionaria de forma contrária, e aí sim ocorreria a submissão.

Este trecho do *CS* sempre provocou grande polêmica na compreensão do pensamento de Rousseau, dando margem a uma indagação sobre um certo totalitarismo; cf. a esse respeito os textos de Vaughan e Russel.

31. Em continuação à nota anterior, o pacto não nos submete à vontade de alguém e sim à vontade geral, que é a de cada um de nós, membros de uma sociedade civil. Essa vontade, que certamente é um dos conceitos mais complexos do pensamento de Rousseau, não é a da maioria, mas sim aquela comum a todos, sua natureza não é a das vontades particulares, sua natureza é moral. De acordo com M. Halbwachs, a vontade geral "existe, em potência desde que uma sociedade existe". Op. cit., p. 97.

32. O corpo coletivo é composto de duas partes: uma ativa, que é o povo, enquanto autor das leis, e outra passiva que é o povo, enquanto observador das leis, ou seja, o Estado. Assim, soberano é o povo e não o homem como afirmava Hobbes, embora para ambos a soberania seja indivisível, inalienável e sem limites. Este, na segunda parte do *Leviatã*, depois de enumerar os direitos do soberano por instituição, assim conclui sua reflexão: "São estes os direitos próprios à essência da soberania, e as marcas pelas quais se pode distinguir em que homem ou assembleia de homens se localiza e reside o poder soberano, uma vez que esses direitos são incomunicáveis e inseparáveis". *Leviathan, or Matter, Form, and Power of a Commonwealth Ecclesiastical and Civil.* William Benton Publisher. Col. "The Great Books of the Western World", vol. 23, Encyclopedia Britannica Inc., USA, 1952, parte II, cap. XVIII, 16.

Embora a influência de Hobbes na questão da soberania tenha sido maior, outros autores contribuíram para o pensamento de Rousseau. Pufendorf está de acordo com Hobbes e também afirma a indivisibilidade dos direitos acarretados pela soberania, devendo permanecer todos nas mesmas mãos. Já Grotius, Barbeyrac e Burlamaqui defendem a divisão da soberania, podendo os seus direitos ser divididos entre duas ou mais pessoas, ou entre corpos do Estado. De certa forma, Rousseau retoma e completa aqui a discussão iniciada no cap. IV.

Cf. a esse respeito o excelente comentário de Robert Derathé. *Rousseau et la Science Politique de Son Temps*. Paris: Vrin, 1970, cap. V, p. 248-364.

33. Cf. nota 4.

34. Uma vez constituído o corpo soberano, desaparecem o estado de natureza e o direito natural; mas, os seus membros podem desfazer o pacto fundamental. É claro que, ao agirem dessa forma, voltam ao estado de natureza, mas isso não anula a liberdade do corpo social.

35. Nestes dois parágrafos iniciais, Rousseau trata do contrato que cada um faz consigo mesmo, após o momento inicial onde cada um contrata com os outros membros.

36. A força é legítima e necessária como garantidora do direito; por isso, aquele que recusar a obediência à vontade geral, ou seja, recusar a liberdade estabelecida por convenção, coloca-se contra o soberano e deve ser forçado a ser livre – a obedecer às leis – pelo Estado. Holbwachs assim se expressa ao comentar esse capítulo: "O recurso ao uso da força, reconhecido não apenas como legítimo, mas necessário para garantir o direito, coloca um grave problema, o da distinção entre a moral e o direito legal. A lei moral é incondicionada: devemos respeitá-la em relação aos outros, mesmo que os outros não a respeitem em relação a nós. Mas uma comunidade jurídica supõe uma limitação recíproca das liberdades existentes.

    É por isso que o direito constitui uma esfera independente daquela da moral". Op. cit., p. 111.

37. No estado de natureza, o homem é dotado de uma bondade negativa, uma vez que desconhece o bem e o mal, não conhecendo vício ou virtude. Rousseau discorda de Hobbes, que definia o homem como mau por natureza (cf. *Leviathan*, Parte I, cap. XIII; e *De Cive*, Parte I, cap. 1). É a sociedade civil que dará ao homem uma moralidade; esta não é uma negação da inocência primitiva, mas a expressão de uma bondade e de uma justiça positiva. Rousseau retoma aqui, de forma mais ampla, a discussão iniciada no *Segundo Discurso*, Parte I.

38. Como, ao optar pela sociedade civil, o homem abre mão de sua liberdade natural, mas ganha em troca a liberdade civil e esta iguala a todos, para que ela seja mantida, é fundamental que se obedeça às leis de forma irrestrita e sem privilégios. Todos estão submetidos à legislação formulada pela própria sociedade que fundaram, portanto, no limite, enquanto corpo soberano, o povo é o autor dessas leis, devendo lhes obedecer e garantindo que lhes obedeçam – o que justifica a coerção do Estado. Apenas a obediência às leis torna os homens livres.

Kant também retoma a noção de liberdade como a obediência à lei, prescrita por cada um para si mesmo; é o dever que liga o homem à lei e esta, apesar de universal, resulta da vontade racional, e a vontade de todo ser racional é uma vontade legisladora universal. Portanto, o princípio fundamental da moral é a autonomia. De forma oposta, quando a vontade não é a autora de sua própria lei, temos a heteronomia; distinção importante para a determinação da moral Kantiana. Como esta é uma questão ampla, que não cabe no limite de uma nota, vale lembrar apenas que Kant dá maior ênfase à lei, enquanto Rousseau está mais preocupado com a conquista e a manutenção da liberdade.

39. À época de Rousseau domínio e propriedade eram sinônimos, como bem lembra Robert Derathé em sua nota 2, p. 1.450 da Pléiade.

40. Depois de ter discutido as consequências do contrato social quanto às pessoas, é necessário discutir o que ele acarreta quanto aos bens. O fato de possuir algum bem não o torna minha propriedade, pois esta só será possível depois do contrato que institui o direito legal. Bertrand de Jouvenel, na sua edição crítica do *CS*, comenta esse trecho, a partir de sua proximidade com a *Ética* de Spinoza, cap. IV.

41. O direito do primeiro ocupante em nada se identifica com o direito do mais forte, pois, como vimos no capítulo III, este é ilegítimo e não implica qualquer obrigação moral. Esse direito do primeiro ocupante não é um direito natural de propriedade, mas um momento anterior, que ainda não foi transformado em direito. Como está explicado nos dois próximos parágrafos, são a necessidade e o trabalho que fundamentam o direito do primeiro ocupante. Tal como para Locke, Rousseau justifica a propriedade de bens através das noções de determinismo da subsistência e da utilização real: "...ninguém tem originalmente uma posse (dos bens da Terra), excluindo o resto da humanidade, quando esses bens ainda estão no seu estado natural; entretanto, como foram feitos para uso dos homens, é necessário que exista alguma forma de apropriação [...] Embora a terra e todas as criaturas inferiores pertençam em comum a todos os homens, cada um guarda a propriedade de sua própria pessoa; sobre essa ninguém tem direito, a não ser ele mesmo. O trabalho de seu corpo e a obra de suas mãos podemos dizer que pertencem verdadeiramente a ele. Todas as vezes que retira algo do estado em que foi colocado e deixado pela natureza, mistura a isso seu trabalho, e lhe acrescenta alguma coisa que lhe pertence e dessa forma apropria-se dele". John Locke. Op. cit., cap. V, 26 e 27, p. 15.

42. Vasco Nunez de Balboa (1475-1517), conquistador espanhol que em 1513 descobriu o Oceano Pacífico, e do qual se apossou em nome do rei da Espanha,

Fernando II de Aragão (1452-1516), a quem Rousseau se refere na sequência do parágrafo. Ao se valer no *Émile* do exemplo do jardineiro para explicar a posse da terra pelo trabalho, Rousseau a compara à do aventureiro espanhol, afirmando que esta não tem qualquer valor: "Portanto, trata-se de voltar à origem da propriedade [...] A criança, tendo vivido no campo, adquiriu alguma noção dos trabalhos campestres; [...] Faz parte de todas as idades, principalmente da sua, querer criar, imitar, produzir, demonstrar sinais de poder e de atividade. Não será preciso ter visto mais do que duas vezes arar um jardim, semear, germinar, crescer os legumes, para que ela queira ser jardineiro. [...] Ela irá tomar posse dessa terra ao plantar uma fava, e certamente essa posse será mais sagrada e mais respeitável do que a de Nunez Balboa sobre a América, em nome do rei de Espanha, ao fincar seu estandarte sobre as costas do mar do Sul". Pléiade, vol. IV, p. 330-331.

43. Ideia já discutida no *DEP*, p. 43.

44. Cf. livro II, cap. IV, *Dos Limites do Poder Soberano*.

45. Voltaire discordará veementemente dessa posição, como se pode observar nos seus comentários marginais aos textos de Rousseau.

46. Conforme comentário anterior (principalmente notas 30 e 31), como a vontade geral não é a vontade da maioria e o interesse comum não é sinônimo dos interesses particulares, as forças do Estado só podem ser dirigidas por essa vontade, o que garante a preocupação com o alcance do bem comum, motivo pelo qual foi instituída.

47. No início deste capítulo, Rousseau anuncia a primeira consequência dos princípios estabelecidos até este ponto do texto quanto ao exercício do poder; no 2º e no 3º parágrafos acrescenta outros: a) "o poder pode muito bem ser transmitido, mas não a vontade"; b) "se o povo promete apenas obedecer, dissolve-se por esse ato"; c) "as ordens dos chefes podem passar por

vontades gerais, se o soberano, que é livre de se opor a elas, não o faz".

48. Segundo Beaulavon, essas críticas aos teóricos da política do seu tempo se dirigem muito mais "às versões práticas" desses autores, do que à divisão dos três poderes de Montesquieu – como defende a maior parte dos comentadores, inclusive Robert Derathé na nota 5 sobre este capítulo, Pléiade, vol. III, p. 1.455.

49. Cf. carta VII, in Pléiade, vol. III, p. 826-827.

50. A Restauração na Inglaterra (1660-1688) trouxe de volta a monarquia, mas não o absolutismo do Antigo Regime. O verdadeiro soberano do povo inglês passa a ser o Parlamento – mesmo que ainda muito oligárquico – resgatando assim o *status* jurídico de 1642. O novo Rei Carlos II continuava a se declarar monarca pela graça de Deus, mas na verdade era o Parlamento que o tinha escolhido e lhe dava sustentação e não o direito hereditário de origem divina, pois, quando seu filho Jaime II quis governar de forma absoluta, foi afastado do trono pela Revolução Gloriosa (1688), tendo que viajar para a França, refugiando-se nesse país. Como os políticos estavam descontentes com o rei, não só por seus atos, mas também pela fé católica que professava, e que novamente poderia acarretar um governo despótico e papista, convidaram sua filha (do primeiro casamento), protestante, e seu marido Guilherme de Orange, a ocuparem o trono da Inglaterra, que tinha sido declarado vago pelo Parlamento. Os futuros monarcas deixaram então a Holanda onde estavam, e foram para Londres junto com um pequeno exército, ocupando Londres sem tiros e sem derramamento de sangue, o que valeu à revolução o nome de "Gloriosa".

51. Cf. notas 31 e 45.

Para ser a vontade geral, é preciso que antes essa vontade seja a de todos. Mas nem sempre ela está manifesta, muitas vezes está desviada do reto caminho, ou seja, do bem comum, o que aponta a decadência dessa sociedade onde esse desencontro ocorre. Portanto, é preciso resgatá-la: as sociedades particulares e seus interesses privados não podem subsistir para que não se sobreponham à vontade geral, como Rousseau deixa claro, mais à frente, no último parágrafo deste capítulo.

52. "Na verdade, há divisões que são prejudiciais às Repúblicas e outras que são benéficas: prejudiciais são as que comportam facções e partidários; benéficas são as que não causam nem facções nem partidários. Já que o fundador de uma República não pode evitar que haja dissenções, ao menos deve organizá-la de modo a que não se formem facções." Cf. a respeito dessa referência de Rousseau a Maquiavel o interessante estudo de Yves Lévy. *Le Contrat Social*. Paris, 1959, p. 83.

53. Licurgo (séc. IV a.C.), grande observador das leis de outros países (principalmente Egito e Índia), de onde retirou sugestões para as leis de Esparta. As suas principais leis foram: divisão das terras em lotes iguais; estabelecimento do senado, de uma forte disciplina militar e social, de refeições em comum, e educação pública obrigatória. Conta a tradição que depois de ter feito com que seus concidadãos jurassem respeitar as instituições na sua ausência, viajou e nunca mais voltou a Esparta.

Sólon (640-558 a.C.), legislador ateniense, promoveu grandes reformas em Atenas; do ponto de vista econômico, houve benefícios para os agricultores pobres, cancelou as hipotecas existentes, ao mesmo tempo que proibiu a escravidão por dívidas, limitando também a quantidade de terra destinada a cada um. Diminuiu os encargos dos pobres, restabelecendo assim a harmonia da cidade, ao mesmo tempo que estabelecia uma constituição mais democrática ao dividir os cidadãos em classes não mais apoiadas no nascimento e sim na sorte e na riqueza, e ao dar a todos uma participação igual no governo da cidade.

Numa Pompílio (715-672 a.C.) foi o segundo rei da monarquia de Roma (fase legendária), tendo presidido a organização dessa cidade, dando-lhe suas primeiras leis.

Servius Tullius (578-534 a.C.) foi o sexto rei legendário de Roma; dividiu o povo em 193 centúrias eleitorais, divisão que acabou por favorecer os mais ricos.

54. Enquanto exercício da vontade geral, a soberania não pode ser controlada por um poder, pois este teria que ser superior a ela, o que anularia seu caráter soberano. Mas isso não quer dizer que ela não tem limites e que é arbitrária; a soberania só pode ter limites determinados de forma constitucional, isto é, por convenção.

O soberano não é um homem para Rousseau, mas um conjunto de homens – o povo – o que torna inviável a figura do soberano hobbesiano, por exemplo, que, tratando-se apenas de um homem, retém todos os poderes em suas mãos, exercendo sua vontade particular como melhor lhe aprouver, uma vez que não há limites para sua ação.

Os homens aspiram naturalmente à liberdade, e isso os distingue dos animais que agem por instinto, sem que tenham consciência dessa liberdade: e é o exercício da liberdade, muito mais do que o entendimento, que distingue os homens dos outros animais (cf. *DSI*. In: Pléiade, vol. III, Parte I, p. 141). E é essa natureza igual a todos que vai definir quais são os limites que eles – por contrato e através das leis – vão impor a si próprios; logo, seria incoerente que a soberania que detêm e que expressam pela vontade geral se voltasse contra os seus próprios interesses, ou seja, o bem de todos. Como veremos no cap. XI deste segundo livro, a liberdade não resiste sem a igualdade.

55. Cf. tb. a esse respeito, mais acima, os comentários feitos por Rousseau no *DEP*, sobretudo às p. 27-31.

56. Este capítulo nos remete à discussão sobre o suicídio em uma carta de Edward a Saint-Preux, como ressaltam alguns comentadores de Rousseau: "En-

tão, segundo pensas, é permitido deixar de viver? [...] A vida é um mal para o desonesto que prospera e um bem para o homem honesto desafortunado: pois não é uma modificação passageira, mas sua relação com seu objeto que a torna boa ou má. [...] Muito menos afirmes que te é permitido morrer. [...] Tua fraqueza te dispensa dos teus deveres, e não tendo nem nome nem cargo na tua Pátria, estás menos submetido às suas leis? [...] Saibas que uma morte tal qual tu a meditas é vergonhosa e furtiva. É um roubo feito contra o gênero humano. Antes de deixá-lo, devolve-lhe aquilo que fez por ti. Mas, não sirvo para nada? Sou inútil ao mundo? Filósofo de um dia! Ignoras que não poderias dar um passo sobre a terra sem encontrar algum dever a cumprir, e que todo homem é util à humanidade pelo simples fato de existir?" *Nouvelle Héloise*. In: Pléiade. Vol. II, Lettre XXII, p. 388-393. O suicídio é então um atentado à lei natural.

57. Pelo contrato, o Estado passa a garantir a vida de todos os seus membros. Mas, e se esse mesmo Estado priva um de seus participantes de sua vida, e consequentemente da fruição de todos os outros direitos que ela acarreta? Que alguém, por patriotismo, queira sacrificar-se pela Pátria – é admirável –, mas, que um governo sacrifique um homem em nome da salvação do país, isso é a legitimação da tirania, não tendo qualquer fundamento legítimo nem no direito natural nem no direito civil (cf. neste volume, na tradução do *DEP*, p. 36-38, a referência de Rousseau a essa questão).

58. Uma vez que, pelo pacto, os homens alienam seus direitos ao Estado, o direito à vida está entre eles, e deve ser protegido tanto quanto os demais. Mas, se por alguma razão um desses membros se coloca contra o todo, rompe o pacto, colocando-se, portanto, em estado de guerra com o Estado, legitima assim a pena de morte. Dessa forma, a pena capital não é uma intimidação, como esclarece o próximo parágrafo, mas uma forma de proteger o Estado, as leis e os particulares, de toda forma de agressão.

59. Neste parágrafo, Rousseau deixa claro que, qualquer que seja a origem atribuída à lei, a diferença quanto ao ponto de vista defendido não elimina a necessidade das convenções que estabelecem as ações entre os homens, e das leis que passam a regulá-las. Ao mesmo tempo, Rousseau pretende dar um novo significado à palavra "lei", como ele mesmo afirma no livro V do *Emílio*. Para isso, é mais importante saber como devem ser as leis do que como são, buscando, portanto, conhecer sua origem; para bem conhecer o corpo social é preciso ter um conhecimento preciso das leis, uma vez que estas são a base daquele. Cf. a esse respeito, *DEP*, p. 28-29.

60. Cf. cap. IV do Livro II.

61. Rousseau já deixou claro o que entende pelo "Príncipe": não se trata de uma pessoa, mas do governo, ou seja, dos magistrados.

62. Aristóteles. *Ética a Nicômaco*, livro V, cap. I.

63. A nota que Rousseau faz é bastante clara; vale a pena insistir que não é a forma de um governo que o torna republicano e sim sua legitimidade, o princípio no qual ele está apoiado, isto é, a vontade geral. Assim, o soberano faz as leis, e os governantes (um só, vários, ou a totalidade do povo) aplicam essas mesmas leis.

64. Referência ao livro de Platão, *O Político*, que no texto do *Du Contrat Social* aparece como *De Regno*, e no *Manuscrito de Genebra* como *Civilis*. Esse diálogo se divide em três partes: a primeira (258b-277d) discute a concepção do rei como pastor do rebanho humano; a segunda (277b-287b) trata da função real, a partir da definição de urdidura; a terceira (287b-311c) finaliza a discussão sobre a noção de rei, comparando-o a um tecelão. Os estudiosos da obra de Platão afirmam que esse texto é contemporâneo do Sofista, mas, como não se tem muita certeza das datas de composição, acredita-se que tenha sido escrito entre os anos 367 e 357 a.C. Rousseau se refere à seguinte passagem desse diálogo:

"O estrangeiro: [...] Segue-se daí, se não me engano, que o verdadeiro governo, se existe um, deve ser procurado em um ou dois homens, ou em um número pequeno de homens. [...] Mas esses homens, que comandam com ou sem consentimento de seus súditos, segundo leis escritas ou sem elas, ricos ou pobres, é preciso acreditar, como pensamos agora, que governem segundo certa arte". Platão. "O Político". In: *Diálogos*. Trad. Carlos Alberto Nunes. Universidade Federal do Pará, 1980, 293a. Há uma diferença entre a concepção de Platão e a de Rousseau: enquanto possuidor de uma vontade esclarecida que guia os homens, adaptando-se ao mundo exterior, o legislador de Platão não tem que dar leis aos homens.

65. Rousseau cita literalmente Montesquieu ("Grandeur et Décadence des Romains". In: Op. cit., vol. V, cap. I, p. 3) neste parágrafo: "no nascimento das sociedades são os chefes das repúblicas que fazem a instituição, e depois é a instituição que forma os chefes das repúblicas".

66. Parcial, enquanto parte de um todo. "Mais do que definir qualidades ideais para o legislador, é necessário precisar suas tarefas e dificuldades, bem como a melhor forma de executá-las. O legislador precisa, acima de tudo, de empenhar-se na transformação da natureza humana, de particular e física em participativa e moral. [...] Para alcançar este objetivo, o legislador não pode fazer as leis e ao mesmo tempo executá-las, pois correria o risco de deixar-se levar por suas paixões pessoais, cometendo assim injustiças: só a vontade geral seria capaz de referendá-las. [...] Não podendo então impor suas ideias pela força ou persuadir o povo pela argumentação, deve lançar mão de outra autoridade, a religião, que, utilizada com sabedoria pelo legislador, serviria à interiorização dos valores racionais". M. Constança P. Pissarra. Op. cit., p. 54-55.

67. No livro I, cap. VI, Rousseau já se referiu à questão da força – não a física, mas a que resulta do contrato social.

68. A ideia do mito do fundador, como essa figura excepcional que funda uma sociedade, imprimindo-lhe sua marca própria, está presente na Antiguidade através daqueles que tiveram essa missão, como Moisés, Licurgo, Sólon e outros. Não só essa noção, mas também muitas outras, foram recuperadas pelo século XVIII, na sua admiração pelo mundo antigo. A partir da Renascença – e principalmente a partir de Montaigne – se retoma a Antiguidade como exemplo e também como inspiração. Rousseau filia-se a essa tradição, mas "[...] em Rousseau, o amor pela Antiguidade não é pura manifestação de uma retórica em homenagem à época. [...] Mas Rousseau, imbuído da cultura clássica, fez uma reconstrução da Antiguidade 'segundo seu coração' [...] As características desses homens antigos deixaram nele impressões que jamais puderam ser apagadas. [...] o apelo da Antiguidade em Rousseau testemunha, sob uma forma certamente tradicional, um certo ideal, ao mesmo tempo político, moral, pedagógico e estético, e que é a própria essência de sua visão filosófica do mundo". Denise Leduc-Fayette. J.J. *Rousseau et le Mythe de l'Antiquité*. Paris: Vrin, 1974, p. 13-16.

Sobre o legislador, cf. o esclarecedor comentário de M. Holbwachs. Op. cit., p. 187-190.

69. De acordo com o comentário de M. Holbwachs, Plutarco no seu texto *La Vie de Lycurgue* não faz qualquer referência a essa "abdicação da realeza" de que fala Rousseau. Licurgo era tutor e tio do rei, e, antes de mudar as leis espartanas, foi apenas até Delfos e Candia, na Ásia.

70. "Em verdade, afirma Maquiavel, jamais existiu um povo que tivesse feito leis extraordinárias sem ter recorrido a Deus, uma vez que de outra forma não seriam aceitas, porque são muito bem conhecidas pelo Sábio e não têm em si razões tão evidentes que não persuadam os demais."

71. Trata-se de Maomé (570?580-632), profeta fundador do islamismo em 622, quando se refugiou em Medina. Ismael (filho de Abraão) era considerado ancestral dos árabes ou ismaelitas.

72. Teólogo inglês (1698-1779), autor de obras onde discutia as relações entre a Igreja e o Estado: *The Alliance between Church and State* (1736) e *Divine Legations of Moses* (1737-1741).

73. Quando foi convidado pelos Cirênios a redigir suas leis para melhor administrarem sua república, Platão recusou-se porque se tratava de um povo muito rico.

74. "O grande mitologema cretense do rei Minos está indissoluvelmente ligado ao palácio de Cnossos e a seu labirinto, bem como ao arquiteto Dédalo, ao Minotauro e ao mito de Teseu e Ariadne. Se, do ponto de vista histórico, Minos foi um nome dinasta, que governou Creta, ao menos como rei suserano de Cnossos, miticamente a coisa é bem diversa. Filho de Zeus e Europa (que Zeus raptara sob a forma de Touro) ou do rei cretense Astérion e da mesma Europa". Junito de Souza Brandão. *Mitologia Grega*. Petrópolis: Vozes, 1989, vol. 1, p. 61. Foi temido pelos vizinhos e considerado sábio legislador, subjugando várias cidades e tornando-se senhor do mar.

75. Os homens, quando jovens, são passíveis de serem educados, pois aceitam com mais facilidade o que lhes for ensinado, pois ainda não têm sua educação distorcida. Também os Estados são assim: devem receber as leis enquanto ainda são novos, pois, quanto mais velha for a sociedade, mais terá preconceitos e vícios e mesmo uma boa lei não poderá exterminá-los.

76. Cf. nota 20 do *DEP*, neste volume.

77. Pedro I o Grande, Czar da Rússia (1689-1725).

78. Rousseau parece inspirar-se em Aristóteles (*Política*, livro IV, cap. IV) quando este discute os elemen-

tos exigidos pela política: os homens, suas qualidades naturais e o território.

79. Para que possa haver equilíbrio, a relação entre a extensão do território e o número de habitantes deve ser proporcional.

80. Como bem mostra este capítulo, Rousseau atribui à agricultura um amplo caráter produtivo, maior do que de outras atividades econômicas. E essa importância vai repercutir na legislação, uma vez que é preciso uma política demográfica que forneça subsídios à política econômica. Cf. a este respeito o *Projet de Constitution pour la Corse*.

81. Uma época de crise requer muito mais atuação dos cidadãos de um Estado do que uma época de estabilidade; é fundamental que cada um cumpra seu papel.

82. Todo momento crítico, pela própria característica emergencial, acolhe com muito mais facilidade medidas de exceção que podem levar à tirania. O verdadeiro legislador não é aquele que só se aproveitará disso; ao contrário, escolherá momentos de equilíbrio social, para que melhor possa traduzir, por meio das leis, a manifestação da vontade geral.

83. Também em outros textos (*DSA. Lettre à d'Alembert, Émile, Lettre sur les Spectacles*), Rousseau discutiu de forma mais ampla a questão da transparência da sociedade em todas as suas partes, onde não existisse qualquer ponto obscuro – *os arcana imperii* – de privilégios do poder. M. Foucault (*Microfísica do Poder*. Rio de Janeiro: Graal, 1989, p. 215), afirma que J. Bentham (*Panopticon*) complementa as ideias de uma sociedade transparente, que também seduziu alguns revolucionários, como Lafayette, por exemplo. A frase de Bentham "que cada camarada torne-se um vigia" seria facilmente complementada pela afirmação "que cada vigia seja um camarada".

84. Rousseau faz alusão à luta da Córsega contra Gênova, cujo líder era Pasquale Paoli.

85. Livro I, cap. VIII. Cf. tb. as notas referentes a esse capítulo.

86. Cf. nota 28 do *DEP*.

87. Cf. a esse respeito o *Discours sur l'Economie Politique* e o *Projet de la Constitution pour la Corse*.

88. Rousseau refere-se principalmente a uma passagem do livro XI, cap. V.

89. Rousseau tratará no Livro III da questão do governo, que é o corpo intermediário entre os súditos e o soberano.

90. *Moeurs* vem do latim *mores*, e talvez modos seja a melhor tradução para essa palavra que tem um significado bem geral, tratando-se das regularidades das diferentes sociedades, das suas modalizações, das disposições morais. Sentido mais atual: usos, comportamentos, hábitos de vida.

91. Já nos referimos neste volume (*DEP*, p. 23-25 e nota 9) à definição de Governo e sua diferença da soberania. Cf. tb. a esse respeito nas *Lettres Ecrites de la Montagne*, carta V.

92. Cf. tb. *DEP*, nota 8, a referência a essa questão e também a nota 145 de M. Holbwachs, op. cit., p. 237-238. Enquanto Montesquieu atribui igual importância a ambos os poderes, Rousseau privilegia o legislativo.

93. O governo representa, entre a vontade geral e as vontades particulares, o mesmo que a união representa entre a alma e o corpo na ontologia cartesiana. Como são coisas diferentes, mas que interagem uma sobre a outra, é preciso a mediação de um princípio regulador.

94. Dois parágrafos acima, Rousseau definiu o governo como "um corpo intermediário entre os súditos e o soberano"; agora, define-o como "o exercício legítimo do poder executivo". Na primeira definição, é sinônimo de príncipe, já que é um corpo que deve respeitar a liberdade civil e a liberdade política; na segunda, é uma função exercida por esse corpo.

95. Cf. a esse respeito o excelente comentário de Georges Beaulavon, na sua edição do *Du Contrat Social*. Paris: Rieder, 1930.

96. O número de habitantes de um país é suficiente para determinar sua forma de governo. Da mesma forma que podem existir governos diversos quanto à natureza, também os Estados podem variar quanto à sua grandeza, o que mostra a flexibilidade das constituições.

97. No capítulo anterior Rousseau discutiu o que entende por governo: primeiro apresentou a definição, depois discutiu a relação proporcional entre soberano, governo e Estado, abordando a seguir as condições necessárias ao governo (existência própria e submissão à vontade geral).

98. Essa frase explicita o que define a ação do governo – usar a força pública apenas para o interesse público – objetivo que não pode ser modificado de acordo com a forma de governo, tratando-se, portanto, de um princípio universal. O governo terá atingido o seu objetivo, na medida em que mantém a ordem pública através da obediência de todos à autoridade suprema e do cumprimento das leis.

99. Complementando a nota anterior, é só como parte do todo que o objetivo do governo é realizado e não como corpo individual ou particular. Apenas a vontade geral, porque é soberana, visa à utilidade pública.

100. Rousseau voltará a esse tema nos próximos capítulos III e X, desta terceira parte.

101. A divisão não diz respeito ao poder legislativo, que pertence ao povo, e, por ser soberano, não se divide; trata-se da divisão do poder executivo. Diferentemente de Montesquieu, que não distingue soberania e governo na sua célebre divisão dos governos (*De l'Esprit des Lois*, livro II, cap. I e II), Rousseau transforma essa separação no ponto central de sua teoria sobre os governos e sua divisão.

102. Trata-se do princípio de legitimidade da soberania, do qual já se falou, o único que lhe garante eficácia.

103. Se governo e soberania são coisas diferentes, o soberano não deve governar; mas na democracia acontece o contrário.

104. O luxo é um dos temas recorrentes na obra de Rousseau: Discours sur les Sciences et les Arts, *Discours sur l'Origine de l'Inégalité, Du Contrat Social* etc. Retorna a esse assunto sempre de forma crítica, uma vez que o luxo é uma decorrência da desigualdade. É importante lembrar que o século XVIII foi o século do luxo por excelência, e vários autores escreveram sobre o tema. Entre esses textos, o *Le Mondain* (1736) e a *Défense du Mondain* (1737) de Voltaire merecem atenção especial pela oposição que trazem em relação às ideias de Rousseau e pela polêmica que causaram.

105. O autor a que se refere é Montesquieu: "Afirmei que a natureza própria do governo republicano é que o povo, ou algumas famílias, tenham o poder soberano". *De L'Esprit des Lois*. Op. cit., tomo I, livro III, cap. II, p. 31.

106. "Antes os perigos da liberdade, do que a tranquilidade da servidão."

107. Essa frase não encerra qualquer contradição. Rousseau não está negando a unidade da vontade geral, apenas afirma que na aristocracia há a vontade geral relativa ao todo e a vontade daqueles que dirigem o governo e cuja vontade é particular em relação ao todo e geral quanto à vontade individual de cada membro dirigente.

108. Conforme nota 20 do *DEP*.

109. Também Aristóteles definia a aristocracia como o governo dos melhores, aquele onde os melhores (*aristoi*) é que deveriam governar.

110. A questão da mediania, portanto do equilíbrio e da igualdade que daí decorre, volta a ser abordada neste capítulo. No caso da aristocracia, é funda-

mental que os magistrados, que ocupam a direção do governo, limitem suas prerrogativas, fundamentando seus direitos na sua competência.

111. Para ser uma forma legítima de governo é preciso que também na monarquia a soberania da vontade geral esteja manifesta, ou seja, o rei só pode governar com permissão do corpo soberano e não de forma substitutiva.

112. O que mostra que a monarquia talvez só seja possível como uma forma legítima de governo, do ponto de vista teórico, tornando-se inviável na prática.

113. Samuel solicita a Deus, em nome de Israel, um rei; a resposta dada por Deus aponta a necessidade de Samuel ouvir o povo e lhe mostrar as consequências de sua vontade: "Ouve, pois, a sua voz, mas faze-os compreender bem e declara-lhes o direito do rei que reinar sobre eles. Samuel, pois, referiu todas as palavras do Senhor ao povo, que lhe tinha pedido um rei, e disse: Este será o direito do rei que vos há de governar: Tomará os vossos filhos e os porá nas suas carroças, fará deles moços de cavalo e correrão diante dos seus coches, os constituirá seus tribunos, seus centuriões, lavradores dos seus campos, segadores das suas messes, fabricantes das suas armas e carroças. Fará de vossas filhas suas perfumadeiras, cozinheiras e padeiras. Tomará também o melhor dos vossos campos, das vossas vinhas, dos vossos olivais e dá-los-á aos seus servos. Também tomará o dízimo dos vossos trigos e do rendimento das vinhas, para ter o que dar aos seus eunucos e servos. Tomará também os vossos servos e servas, os melhores jovens, os jumentos, e os empregará no seu trabalho. Tomará também o dízimo dos vossos rebanhos e vós sereis seus servos. E naquele dia clamareis por causa do vosso rei, que vós mesmos elegestes; e o Senhor não vos ouvirá naquele dia, porque vós mesmos pedistes um rei" 1Sm 8,9-18.

Segundo alguns comentadores, Rousseau só conheceu essa passagem através da obra de A. Sidney. No entanto, parece-me difícil essa certeza, uma vez que Rousseau era calvinista (embora por algum tempo convertido ao catolicismo), e também porque entre os livros deixados por sua mãe e por seu avô materno encontravam-se livros religiosos e a Bíblia, e, de acordo com o seu próprio relato (*Confessions*, I), ele e seu pai dedicavam diariamente algumas horas à leitura desses livros. Além disso, enquanto morador da Rue de la Coutence em Genebra, onde por feliz acaso moravam os principais líderes do povo nas recentes rebeliões dos relojoeiros genebrinos, Rousseau pôde conviver com os porta-vozes dessa população, e ter assim uma formação eminentemente política. Essa liderança se pretendia culta, tendo em suas casas boas bibliotecas, cujas obras também podem ter sido lidas por Rousseau, como afirma Patrich O'Mara no seu levantamento e que é reproduzido por Michel Launay no seu *Jean-Jacques Rousseau Écrivain Politique*. Grenoble: Acer, 1971, p. 23-26.

114. Robert Derathé afirma, nas suas notas sobre o Contrato, que foi acrescentado a esse respeito na edição de 1782 a seguinte passagem: "Maquiavel era um homem honesto e um bom cidadão; mas, como estava ligado à casa dos Médicis, foi forçado durante a opressão de sua pátria a disfarçar seu amor pela liberdade. Só a escolha de seu execrável Herói manifesta de forma suficiente sua intenção secreta e a oposição das máximas de seu livro sobre o Príncipe, em relação àquelas de seus discursos sobre Tito Lívio e de sua história de Florença, demonstra que esse político profundo só teve até hoje Leitores superficiais ou corrompidos. Creio que a Corte de Roma proibiu severamente seu livro; ele a pintou da forma mais clara possível".

115. De acordo com uma carta de Rousseau de 06/06/1762, esse trecho presta uma homenagem ao duque Etienne François de Choiseul (1719-1785), que exerceu os cargos de ministro das relações exteriores e da guerra, tendo contribuído de forma significativa para a recuperação da França depois da Guerra dos Sete Anos.

Ao que parece, o elogio de Rousseau não foi bem entendido em meio às críticas generalizadas que faz nesse parágrafo.

116. "O meio mais eficaz e mais rápido de discernir o bem do mal é perguntares a ti mesmo o que quererias ou não quererias sob um outro rei."

117. A incoerência a que se refere Rousseau neste parágrafo e no próximo é a descontinuidade entre os monarcas hereditários.

118. Esta questão já foi discutida no livro I, cap. II. Também no *DEP* (cf. nota 6), Rousseau abordou essa relação entre o pai de família e o monarca, que para os defensores da origem absoluta dos poderes reais fundamentava a obediência que os súditos deveriam ter em relação ao rei: tal qual um pai, porque ele ama seus filhos e se preocupa com eles, garantindo sua subsistência e desenvolvimento, merece da parte destes total obediência e respeito, também se deve ter em relação ao rei esses mesmos sentimentos. No próximo parágrafo Rousseau conclui essa reflexão, referindo-se aos principais autores que se ocuparam desse tema e que não tiveram qualquer dúvida em justificar a obediência pela obediência e que é resultante da natureza de sua função. Cf. tb. as notas 5, 6, 7, 8 e 13.

119. Cf. nota 64.

120. Segundo Beaulavon, no seu texto já citado (p. 245, nota 2), os tribunais são apenas "comissões de inspeção e de segurança destinados a assegurar a execução das leis". Essa observação, como outras, foi reproduzida sem qualquer referência ao seu autor, por Lourival Gomes Machado (obra já citada) no seu comentário ao *Contrato* (ed. Abril, p. 94, n. 319). Já M. Holbwachs considera fundamental a intencionalidade de Rousseau na escolha da palavra tribunal, inspirada na concepção dos dois Conseils de Genebra, que exercem o poder executivo, ao mesmo tempo que eram tribunais: "o primeiro julgava em segunda instância os pro-

cessos civis; o segundo era juiz em terceira instância dos processos civis e juiz soberano das causas criminais". Op. cit., p. 304-305, n. 222.

A segunda explicação parece mais consistente nas suas colocações. Cf. a nota 4 sobre a organização política e social de Genebra.

121. Já nos referimos à influência de Montesquieu sobre Rousseau; neste capítulo ela é bastante ampla. Montesquieu dedicou, no *De L'Esprit des Lois*, 4 livros à discussão sobre o clima e sua influência sobre os povos (XIV-XVII) e um relativo à natureza do terreno e às consequências que daí ocorrem (XVIII).

Também em Aristóteles aparece essa relação entre o clima, o povo e o tipo de governo, ao afirmar que em regiões frias como na Europa a liberdade é uma característica desses povos, enquanto que os povos asiáticos, que têm um clima mais quente, são mais afeitos à submissão (*Política*, IV, cap. VI).

122. Conforme nota do *DEP*.

123. Trata-se de Jean Chardin (1643-1713) e seu texto de grande repercussão *Voyages en Perse*. Amsterdã, 1735, 4 vol. in 4", t. III, p. 76, 83 e 84, publicado em 1711.

124. Referência à bela costa malfitana, na Sicília.

125. Nome atribuído às regiões da África do Norte situadas a oeste do Egito: Marrocos, Algéria, Tunísia e a regência de Trípoli.

126. De acordo com C. Vaughan e R. Derathé nos seus comentários críticos do *Du Contrat Social*, essa referência foi retirada de uma frase de Thales citada dos Diogenes Laertius e que foi reproduzida no Manuscrito de Neuchâtel, R. 18, f° 36 ro: "Thales dizia que a pior das bestas ferozes era o tirano e das domesticadas, o bajulador". *Tr. de l'Op*. T. 5, p. 272, Diog. Laert. in Thalet.

127. Conforme comentário anterior, livro II, cap. V. A garantia da vida de cada membro do pacto é uma consequência da sua instauração, cabendo,

portanto, ao Estado dispor de suas forças para melhor levar isso a termo.

128. Nos *Fragments Politiques*, Rousseau retoma essa mesma ideia da relação entre população e prosperidade, em uma passagem que certamente deveria fazer parte do *Discours sur l'Économie Politique*: "Ao terminar este artigo, não tenho mais nada a dizer. Toda Economia geral diz respeito a um último objeto, que é o efeito e a prova de uma boa administração; esse objeto relativo ao bem geral da espécie humana é a multiplicação do povo, decorrência infalível de sua prosperidade. Quereis saber se um Estado é bem ou mal governado, examinai se o número de seus habitantes aumenta ou diminui. Sendo todo o resto igual, é evidente que o país – guardadas as devidas proporções – que alimenta e conserva um número maior de habitantes é aquele onde eles estão melhor, e com razão se julga a capacidade do Pastor pelo crescimento dos Rebanhos". *Fragments Politiques*, "De la Population", n. IX. In: Pléiade, vol. III, p. 527.

129. "Os tolos chamavam de humanidade o que já era uma parte da servidão."

130. "Criam a solidão e chamam a isso de paz." Tácito, *Agrícola*, XXI e XXXI.

131. Trata-se do Cardeal de Retz.

132. Rousseau não cita literalmente Maquiavel, fazendo um comentário aproximado de um trecho do Proêmio das *Storie Fiorentine*.

133. A expressão mais exata seria Serrata del Maggior Consiglio, isto é, o conjunto dos procedimentos legislativos que restringiam a condição de ilegibilidade para o maior Conselho de Veneza.

134. Obra anônima de 1612, que propunha o estabelecimento do pretenso direito de soberania dos imperadores sobre a república de Veneza.

135. Mesmo quando um governo tende à degenerescência, por ter se afastado de seu objetivo

principal, ainda assim é possível a recuperação; basta para isso lançar mão de alguns recursos, como a sua própria contração.

136. Neste parágrafo e no anterior, fica claro que o Estado degenera, quando o poder é usurpado, ou seja, quando o contrato social não mais é a convenção fundamental que a todos submete à vontade geral, através da observância das leis.

137. Rousseau aponta para a diferença entre despotismo e tirania: o primeiro seria a forma degenerada da monarquia, quando o monarca, ao se insurgir contra as leis, coloca-se acima delas; a segunda é uma usurpação, mas que respeita regras. Talvez haja aqui uma influência do pensamento de Sófocles, no seu texto Édipo-Rei.

138. "Entendem-se por tiranos aqueles que preparam a instalação do poder numa cidade que foi livre."

139. Tal como o homem, as obras humanas são imperfeitas e finitas e portanto são perecíveis. Há um ciclo vital: como o homem, o Estado nasce, se desenvolve e morre, traçando portanto uma trajetória de degenerescência, mas que pode não ter um caráter negativo, basta que para isso o seu maior período – que é o da juventude – seja amplamente desenvolvido, evitando a morte do corpo político. Isso só é possível através da manutenção da autoridade soberana, por meio da atuação constante da vontade geral.

140. Rousseau voltará a esta questão mais à frente, no cap. XVIII; a importância que ele dá ao tema foi uma das razões pelas quais o *Du Contrat Social* foi julgado e condenado em Genebra, como uma obra que propunha a destruição dos governos: "Não conhece outro meio de se prevenir as usurpações que não seja fixando assembleias periódicas (cap. XIII), durante as quais o governo é suspenso, e onde, sem que haja necessidade de convocação formal, discute-se separadamente e pela pluralidade dos sufrágios se será conservada a forma de governo recebida e os magistrados es-

tabelecidos. Essas assembleias expressamente prescritas pelas nossas leis e que anulavam mais a liberdade do que a própria servidão só podem ser vistas como delírio. Mas essa liberdade extrema é a divindade do autor: é a isso que ele imola os princípios mais sagrados e, encontrando no Evangelho preceitos que incomodam essa independência funesta, na sua opinião uma república cristã é uma contradição nos seus postulados, a religião é um suporte para a tirania, e os cristãos, homens feitos para restejar na mais vil escravidão". Conclusion de M. le Procureur – General Jean Robert Tronchin sur le *Contrat Social et l'Emile* de Rousseau, de 19/06/1762. In: *Correspondance générale de Jean-Jacques Rousseau*. Paris: Librairie Armand Colin, 1924. Org. Théophile Dufor, vol. VII, p. 373-374.

Para que se possa entender melhor, não só o processo de condenação de suas obras (principalmente em Genebra), mas também o conjunto do pensamento de Rousseau, é importante a leitura das *Lettres Ecrites de la Montagne*, que foram concebidas como uma resposta de seu autor às acusações que lhe eram feitas e às penas que lhe foram imputadas. Assim, o texto retoma de forma clara a discussão religiosa (cartas I-V) e a discussão política (cartas VI-IX), e as relações entre essas duas questões.

141. Ao final do cap. XV deste livro III, Rousseau volta a este tema, mostrando a associação em confederação, como uma saída para os pequenos Estados.

142. Rousseau retoma um tema recorrente no seu pensamento, que já apareceu nos dois *Discursos* e volta de forma mais ampla neste capítulo do *Contrato*, que é a questão das pequenas cidades, onde há uma relação entre o tamanho do território, o número de habitantes e o tipo de governo.

143. Como já foi visto, os membros do governo são para Rousseau funcionários públicos e não representantes do povo; não há representação da sobe-

rania e sim exercício pleno e participativo ou perda do poder soberano. Dessa forma, quando o povo está reunido – já que é o poder legislativo por excelência – todas as ações daqueles funcionários estão em suspenso.

144. O presidente da Câmara dos Comuns recebia o título de *speaker* ou orador.

145. Cf. *DEP*, notas 37-40 e 45. Também em outros textos Rousseau trata de forma crítica a questão dos impostos, principalmente no *Projet de Constitution pour la Corse* e nas *Considérations sur le Gouvernment de la Pologne*. As corveias e outros tributos de origem feudal sofreram ampla reforma sob o ministério liberal de Turgot (1774-1776), que propôs sua extinção.

146. Esse era o nome dado aos representantes da burguesia.

147. Na França, durante o Antigo Regime, nobreza e clero constituíram o Primeiro e o Segundo Estado, respectivamente, formando, junto com os representantes do Terceiro Estado, os chamados Estados Gerais. Os dois primeiros não eram mais numerosos, mas, em compensação, detinham mais privilégios, o que anulava a vontade geral.

148. Marc Bloch explica com clareza o que isso significava: "Ser o 'homem' de outro homem: no vocabulário feudal não existia aliança de palavras mais difundida do que esta, nem mais rica de sentido. Comum aos falares românticos e germânicos, servia para exprimir a dependência pessoal, em si. E isto, fosse qual fosse, aliás, a natureza jurídica exata do vínculo, e sem ter em conta qualquer distinção de classe. O conde era o 'homem' do rei, tal como o servo o era do senhor da sua aldeia". *A Sociedade Feudal*. Lisboa: Edições 70, 1987, p. 159.

149. Cf. livro IV, cap. V.

150. Cf. *DEP*, nota 20.

151. Como já vimos em nota anterior, alguns autores influenciaram Rousseau quanto à concep-

ção do pacto social; neste parágrafo refere-se àqueles que conceberam essa convenção como uma definição de direitos para uns e de deveres para outros.

152. Toda vez que o povo deixa de pautar suas ações pela vontade geral, submetendo-se a outro poder, sai do âmbito da liberdade civil e volta ao estado de natureza, isto é, de plena liberdade.

153. Finalizando sua argumentação, Rousseau deixa claro que não é possível servir a dois senhores ao mesmo tempo, ou seja, uma vez constituído o pacto, fica implícito que todos concordam com ele, não podendo, portanto, constituir outro poder dentro do anterior. O direito de soberania é do povo, apenas o direito de comandar é atribuído aos magistrados. Rousseau diverge nesse ponto de Pufendorf, que, tal como Hobbes, acrescentava ao pacto de associação um pacto de submissão: "É certo que toda Sociedade Civil teve um começo. Também é necessário reconhecer que antes que cada Estado tenha sido formado, aqueles, a partir dos quais foi formado, ainda não tinham entre si as relações que depois terão e ainda não dependiam daqueles que se tornaram seus Soberanos. Ora, não podendo essa união e essa submissão ser concebidas, sem supor as Convenções das quais já falei, é necessário que ao menos tacitamente tenham intervindo na formação dos Estados". Samuel Pufendorf. Op. cit., livro VII, cap. II, 8, p. 234.

154. Os comentadores (Dreyfus-Brissac, Halbwachs, Derathé, Vaughan, Beaulavon etc.) concordam em afirmar que este trecho tem clara inspiração hobbesiana: "Pelo fato de se terem reunido voluntariamente, entende-se que estão obrigados ao que foi determinado pelo consenso da maioria [...] Essa assembleia, cuja vontade é a vontade de todos os cidadãos, tem o poder soberano. Como se supõe que nessa reunião todos têm direito de voto, segue-se que é democracia". T. Hobbes. *De Cive*, [...], cap. VII, 5, p. 56.

No entanto, se estão de acordo quanto à fonte, não estão quanto à interpretação da mesma.

Para Beaulavon e Vaughan, por exemplo, a partir do momento em que o povo se constituiu como democracia, desaparece o direito de escolher um rei. Já para Halbwachs, uma coisa não implica outra: "Não é exato afirmar que se decidiu (Rousseau) tomar esta forma democrática como um meio, visando estabelecer e fazer funcionar a monarquia, que desde o início o tenha escolhido como regime definitivo. [...] Assim, a partir do momento em que os homens se reúnem para formar a sociedade civil, os homens reunidos já são uma democracia, mesmo sem ainda ter decidido adotar tal forma de governo". Op. cit., p. 354. O que nos parece fundamental é que para Hobbes o povo, ao escolher um soberano, delega a ele o poder executivo e o legislativo, e que para Rousseau o povo permanece soberano uma vez que só passa ao monarca o poder executivo.

155. G. Beaulavon, no seu comentário ao *Du Contrat Social*, p. 282, nota 1, afirma que se trata de velha expressão jurídica em desuso. Trata-se de um caso no qual o exercício do direito reivindicado aparece como perigoso. Invoca-se então a máxima do direito romano: *odia restringenda, favores ampliandi*; ou seja, que é necessário restringir tanto quanto possível os direitos perniciosos e, ao contrário, dar toda amplitude aos direitos vantajosos.

156. Também livro III, cap. XIII. Cf. nota 140.

157. Grotius, op. cit., 1. II, cap. V, 24.

158. Um leitor distraído poderá dizer que este quarto livro repete no primeiro capítulo algo já discutido, e que os capítulos subsequentes discutem temas deslocados desse capítulo inicial. Mas as coisas se passam de forma diversa. Rousseau retoma de forma ampla e conclusiva a discussão das três partes anteriores: a definição do pacto social, da soberania e do governo; trata-se, portanto, de completar a discussão já iniciada, que é o que faz este primeiro capítulo, para em seguida passar a discutir o funcionamento propriamente dito da república.

159. Referência ao modelo constitucional genebrino, e à divisão político-administrativa dos cantões rurais. Essa questão é retomada no *Project de Constitution de la Corse*.

160. Oliver Cromwell (1599-1658), general inglês que assumiu o governo da Inglaterra depois da Revolução Gloriosa de 1648, autoproclamando-se de forma ditatorial "lorde protetor".

François de Bourbon, duque de Beaufort (1616-1669), foi um dos líderes da Fronda na sua 2ª fase, movimento que se instaurou contra o Cardeal Mazarin, durante a minoridade de Louis XIV (1648-1652).

De acordo com Robert Derathé, na sua edição crítica, "a penitenciária onde eram detidos os condenados por penas graves em Berna chamava-se *Schallenhaus ou Schallenwerk*, ou seja, 'instituição dos sinos'. Segundo Karl Hafner (*Geschichte der Gefangnisreformen in der Schweiz*. Berna, 1901, p. 14s.), amarravam-se sinos no pescoço dos condenados que podiam ser utilizados em trabalhos de utilidade pública. Em Genebra, a 'disciplina' era uma casa de correção para os delinquentes indóceis da cidade". Pléiade, vol. III, p. 438, nota 1.

161. Cf. Livro II, cap. III.

162. Cf. Livro II, cap. IV.

163. Não se pode destruir a vontade geral, mas pode-se camuflá-la e enfraquecê-la; para que isso não ocorra é preciso fortificá-la através de instituições.

164. Quando a economia se mistura à política, os interesses individuais sobrepõem-se aos do Estado, perde-se a unanimidade que a vontade geral deve expressar. Assim, para Rousseau, não é possível a convivência entre facções em um Estado, expressas pelos diversos partidos.

165. No século V a.C., os tribunos da plebe instalaram os concílios da plebe, uma nova assembleia, não mais convocada de acordo com o nascimento (assembleias curiais) ou de acordo com a fortuna (assembleias centuriais), mas segundo suas tribos, isto é, se-

gundo determinada circunscrição territorial; suas decisões eram conhecidas como plebiscito. Nelas se elegiam os tribunos da plebe, e como suas resoluções não dependiam da aprovação do Senado, eram uma grande arma dos plebeus contra os patrícios.

166. Tácito. *Histoires*, I, 85.

167. Marcus Sílvio Oto tornou-se imperador romano no ano de 69; proclamado pelos pretorianos, foi vencido em Bedriaque pelas legiões de Vittelius, e suicidou-se – segundo Suetônio – em razão do horror da guerra civil.

168. Rousseau já se referiu a esta questão anteriormente, livro I, cap. IV; cf. tb. as notas a esse capítulo, principalmente da 19-21.

169. Livro II, cap. III e Livro III, cap. XVIII.

170. Nos próximos capítulos, 3 e 4.

171. Livro III, cap. XVII.

172. Beaulavon, op. cit., afirma à p. 294: "A partir do século XVIII até o final da república, as eleições dos doges se fizeram quase sempre da seguinte maneira: 1º O Grande Conselho elegia 30 cidadãos; 2º esses 30 elegiam 9; 3º esses 9 elegiam 40; 4º entre esses 40, 12 eram escolhidos pela sorte; 5º esses 12 elegiam 2 e 41 elegiam o doge". Diehe. *Une République Patrienne: Venise*".

173. *Esprit des Lois*, livro II, cap. II.

174. A palavra "barnabote" não foi traduzida para melhor expressar seu significado. No século XVIII a nobreza veneziana dividia-se em 3 classes: a nobreza senhorial, a "judiciária" e a "barnabotta". Os que pertenciam a esta última eram nobres arruinados, daí serem chamados de barnabotti, uma vez que a maioria habitava o bairro de São Barnabé.

175. Cf. nota 4.

176. Charles Irénée Castel, abade de Saint-Pierre (1658-1743), cuja obra mais conhecida, *Projeto de paz perpétua*, publicada em 1712, e onde propunha

uma espécie de sociedade das nações. Rousseau fez um resumo crítico desse texto, dando-lhe o nome de Polysynodie de l'Abbé de Saint-Pierre.

177. Reproduzimos aqui, parcialmente, a nota 1 de Robert Derathé; comentário semelhante aparece em Halbwachs e Vaughan: "Como mostrou Dreyfus-Brissac, Rousseau utilizou para esse estudo das instituições romanas não apenas os *Discours sur la première décade de Tite-Live*, mas também um tratado de Sigonius, intitulado *De antiquo Jure Civium Romanorum*. Essa obra e as de Maquiavel em italiano estavam entre os livros que Rousseau vendeu na Inglaterra a Dutens". Pléiade, vol. l, p. 1.494-1.495.

178. Conforme nota 20 do *DEP*.

179. Rousseau se refere à obra *De Re Rústica*, III, I, citada por Sigonius, conforme nota anterior.

180. *Police*, no original, mas que aqui, por uma questão de clareza, foi traduzido pelo seu sentido atual.

181. Romulus.

182. Conforme nota 180.

183. Caius Marius (156-86 a.C.), general romano e cônsul, chefiou o partido popular e foi o primeiro a abolir as diferenças alocadas na fortuna, e abriu as legiões a todos os cidadãos que quisessem servi-las. Cf. *DEP*, p. 45, e também a nota 36.

184. O mesmo que o Forum romano.

185. Essa reforma foi feita por Caius Gracus (154 a.C.-121 a.C.).

186. Os senadores não tinham qualquer papel superior, compatível com sua posição na hierarquia social, além de não poderem participar dos comícios através do voto.

187. *De Legibus*, III, 15.

188. Até o ano de 139 a.C., a votação no Campo de Marte era feita oralmente. A partir dessa data, a escolha dos eleitores passou a ser registrada em

pequenas tábuas. Essa anotação apresentava algumas curiosidades: ao votar, os eleitores deveriam escrever os nomes dos seus candidatos, mas em alguns casos deveriam responder com as letras U.R. (*uti rogas*, como propões) se admitiam, ou com um A (*antiquo*, nego) se recusavam. Já nos casos penais, deviam indicar A (absolvo) ou C (*condemno*).

189. "Os que guardam, os que distribuem, os que recolhem os sufrágios." Segundo Halbwachs, a partir da edição de 1782, distributores foi substituído por diribitores (p. 177, nota n'). Os outros comentadores não fazem qualquer referência a essa mudança.

190. Os éforos foram instituídos com a finalidade de manter a disciplina entre os cidadãos.

191. Segundo Derathé, op. cit., p. 454, nota 2, essa expressão significa nesse contexto "administrar as leis, ou seja, assegurar a execução", tal qual foi empregada no *Discours sur l'Économie Politique*.

192. Ágis IV foi o rei de Esparta entre 245 a.C. e 241 a.C., promoveu reformas sociais; foi estrangulado pelos éforos.

Cleômenes III, seu sucessor no reino de Esparta (235-221 a.C.), retomou a perspectiva reformista de Ágis IV e condenou à morte os éforos, restabelecendo as leis de Licurgo. Segundo Halbwachs. Rousseau leu as *Viés d'Agis et de Cléomène* de Plutarco.

193. A partir de César, os imperadores passaram a ter o poder dos tribunos, isto é, a inviolabilidade e o direito de interceder.

194. As duas formas possíveis da ditadura aqui descritas por Rousseau não devem ser interpretadas como uma aceitação desse regime, reconhecendo-o como válido; mas como um período intermediário e breve, em razão da gravidade do momento. No primeiro caso, o ditador apenas tem a função de reforçar o governo, concentrando-o todo em suas mãos, mas não detém

o direito de soberania. No segundo caso, suspende-se a vontade geral, portanto, o ditador fica acima das leis; mas, também neste caso, a vontade geral (a soberania) não é transferida para ele, apenas permanece adormecida. De acordo com Halbwachs, este segundo exemplo identifica-se com a noção de pacto para Hobbes, onde há um acordo tácito entre os súditos e o soberano, que fica acima da lei.

Os comentadores concordam em que Rousseau se inspirou na concepção de Maquiavel sobre a ditadura (*Discorsi sopra la prima Deca de Tito Livio*, livro I, cap. CXXXIV). Para ambos, só pode ser um recurso extremo em um período de graves incidentes, por isso consideram o exemplo romano o melhor.

195. Beaulavon afirma em nota de rodapé (Op. cit., p. 319): "Entretanto, Sila e César receberam o título de ditadores, mas aí se tratava de verdadeiras novas magistraturas que preparavam a transição da república para o império". Portanto, diferente daquilo que Rousseau afirma no parágrafo anterior referindo-se aos primeiros tempos, quando se atribuía o nome de ditadores àqueles que dirigiam cerimônias religiosas ou mesmo civis, mas que estavam longe do ditador político de que está tratando.

196. Uma lei romana de 58, da autoria de Publius Appius Clodius, estabelecia punição para quem condenasse um cidadão romano sem julgamento. Foi assim que os cúmplices de Catilina foram julgados e condenados à morte, uma vez que Cícero só consultou o Senado, e não permitiu qualquer apelação ao povo. Mesmo tendo-se autoexilado, Cícero depois foi condenado ao exílio.

197. Embora discuta a questão da censura, do ponto de vista moral, Rousseau não atribui ao censor um papel de "condução" da sociedade; é preciso que ele saiba captar a opinião pública para que suas decisões não caiam no vazio.

198. De acordo com a nota 347 de Halbwachs, "legítimo designa o sentimento daquilo que é justo, que determina a condução, mas também as virtudes e os hábitos que são seus fundamentos", in op. cit., p. 408.

199. Na edição do *Du Contrat Social* de 1782, Rousseau acrescentou a seguinte nota: "Eles eram de uma outra ilha que a delicadeza de nossa língua não permite nomear neste momento". E no exemplar de Ivernois, explicita melhor essa referência, citando a ilha grega, Quio, localizada no Mar Egeu. G. Petitain foi o primeiro comentador do *Du Contrat Social* (edição de 1819) a procurar esclarecer em uma nota essa preocupação de Rousseau, tendo sido esse texto reproduzido em várias outras edições: "É difícil entender como o nome de uma ilha pode arranhar a delicadeza de nossa língua. Para entender melhor, é preciso destacar que Rousseau tirou essa interpretação de Plutarco (*Afirmações Notáveis dos Lacedemônios*, 69), que a relata com toda a sua torpeza e a atribui aos habitantes de Quio. Rousseau, ao não citar o nome dessa ilha, quis evitar a aplicação de um jogo ruim de palavras, evitando assim provocar o riso com um assunto grave como esse" (p. 280-281). Para melhor entender essa afirmação, em francês, o nome da ilha é Chio, e a pronúncia lembra *chiot*, que significa cãozinho.

200. Nos primeiros tempos, a figura do governante confundia-se com a representação do sagrado; assim, os reis eram também sacerdotes e uma só pessoa exercia os dois papéis, ou então, eram duas atividades diversas, mas ambas mantinham o caráter de figuras sagradas.

201. Conforme já foi comentado no livro I, cap. II; cf. tb. a nota 9.

202. Os povos antigos eram como que representados pelos seus deuses, uma vez que havia identificação entre ambos, diferenciando as cidades entre si. A consequência desse politeísmo – mas também a causa – é que "havia tantos deuses quantos povos", segundo Rousseau, advindo dessa diferença uma postura intolerante.

203. O judaísmo traz na sua concepção uma afirmação fundamental: só há um deus, só ele pode ser venerado e só seu culto praticado. Ora, esse monoteísmo "expulsava" de forma proibitiva toda religião politeísta. O cristianismo – herdeiro desse dogma – caracterizou-se, nos primeiros tempos, por uma atuação delimitada pela clandestinidade que lhe era imposta pelo Império Romano, que era pagão. Mas, o confronto inevitável aconteceu: Como servir a dois senhores? Como viver em dois mundos tão diversos, esperando de forma desprendida a redenção que só iria acontecer na eternidade? Com a passagem do cristianismo a religião oficial, no século III, por determinação de Constantino, os perseguidos passaram a perseguidores, gerando uma intolerância religiosa abrangente.

204. Tanto no *Leviathan* (Parte III e IV), quanto no *De Cive* (Parte III, cap. XV-XVIII), Hobbes dedica-se à questão da religião e do poder sobrenatural, na sua relação com o poder civil. A figura que representa o "monstro" Leviatã, no frontispício do seu livro, tem em uma das mãos o gládio e na outra o báculo, representando assim a união dos dois poderes.

205. Pierre Bayle (1674-1706), filósofo, autor de duas obras importantes: *Pensées Diverses Écrites à un docteur de Sorbonne à l'occasion de la Comète qui parut au mois de Décembre 1680.* • *Le Dictionnaire Philosophique de 1697.*

William Waburton (1698-1779), Bispo de Gloucester, autor de obras teológicas e de um tratado sobre a aliança da Igreja e do Estado: *Alliance between Church and State.*

206. Rousseau emprega a palavra sociedade como sinônima de gênero humano, de nação ou Estado.

207. Sacerdotes do budismo no Tibete.

208. Neste parágrafo e no anterior, Rousseau comenta que as religiões podem ser de três tipos, do ponto de vista da natureza: "1) Religião do homem: a humanidade é um todo; trata-se do culto interior de cada

homem em relação a Deus. Esse teísmo de direito natural tem como inconveniente a anulação da vontade geral, uma vez que os homens reconhecem-se fraternalmente unidos; mas sem qualquer ligação como corpo político. 2) Religião do cidadão: corresponde às sociedades divididas e aos seus cultos. Como teocracia, tem a qualidade de unificar a autoridade religiosa e civil, mas torna-se inconveniente, quando, por tirania, torna o povo intolerante em relação a todos os que não cultuem os seus deuses. 3) Religião do padre: cristianismo e toda religião que impõe ao homem dois chefes e dois deveres. Esse cristianismo institucionalizado é a pior das religiões, uma vez que, sendo antissocial, seu direito misto coloca os homens em contradição. Uma república cristã não pode existir, é incoerente pela espiritualidade, indiferença e passividade pregadas pelo cristianismo". M. Constança Peres Pissarra, op. cit., p. 52-53.

209. Expressão que significa "Estar sagrado" e que muitos se autoatribuíam.

210. "Portanto, aqueles que quiseram fazer do Cristianismo uma religião nacional e introduzi-la como parte constitutiva no sistema da Legislação cometeram dessa forma duas faltas perniciosas, uma à Religião e a outra ao Estado. Afastaram-se do Espírito de Jesus Cristo, cujo reino não era deste mundo, e, ao misturar aos interesses terrestres os da Religião, macularam sua pureza celeste, transformando-a em arma dos Tiranos e em instrumento dos perseguidores." J.-J. Rousseau. *Lettres Écrites de la Montagne*. Pléiade, vol. I, p. 704.

211. P. Bayle, *Pensées diverses sur la Comète*, 4. ed., Rotterdam, 1704, tomo II, p. 141 e 172: "Os cristãos de quem falo prestam-se pouco ao combate, aprenderam a suportar as injúrias, a ser doces, a ser complacentes, a mortificar os sentidos, a praticar a oração e a meditação sobre as coisas celestes. Seriam enviados como carneiros para o meio de lobos. [...] Uma sociedade de ateus praticaria as ações civis e morais tão

bem quanto as praticaram outras sociedades, uma vez que puniria severamente o crime e atribuiria honra e infâmia a certas coisas".

212. Citado por Tito Lívio. *Histoire Romaine*. Paris: Librairie Garnier Frères, ed. bilíngue, tomo I, II, 45, p. 289.

213. Cf. livro II, cap. IV.

214. Rousseau aponta, então, para a necessidade de uma religião civil, que tenha as vantagens das religiões históricas, mas não os seus defeitos.

215. "O que importa ao Estado são as consequências sociais e morais dos dogmas, devendo o soberano fixar uma profissão de fé civil – e não verdades religiosas – que seja útil à sociabilidade entre os homens. A radical intolerância quanto a doutrinas diferentes, característica das religiões nacionais, é substituída agora por uma intolerância pragmática: não são os que não creem que serão expulsos, mas os que não respeitam a lei e a justiça." M. Constança Peres Pissarra, op. cit., p. 60-61. Não é possível que o Estado obrigue alguém a praticar tal ou qual religião; todas devem ser respeitadas, desde que não exijam dos seus fiéis ações que se contraponham ao contrato social. Rousseau defende portanto a liberdade de consciência, sendo a intolerância um comportamento negativo.

216. Esses dogmas se dividem em duas categorias: a) religiosos: não as "normas" da fé, mas os dogmas da religião natural, destacando três atributos principais de Deus – a sabedoria, a justiça e o poder; b) civis: o contrato social e as leis. No *Émile*, Rousseau também faz alusão a esses dogmas positivos, mas lá trata da religião natural da profissão de fé expressa pelo Vigário de Saboia, enquanto que neste capítulo do *Contrat Social* já discute a religião civil, que tem sua noção completada pelos dogmas positivos civis.

217. Em uma carta a Voltaire de 18/08/1756, Rousseau repudia a irracionalidade da intolerância: "Mas,

estou indignado, como vós, que a fé de cada um não pertença à mais perfeita liberdade, e que o homem ouse controlar o interior das consciências onde não possa penetrar, como se dependesse de nós acreditar ou não em assuntos cuja demonstração não é possível, e que jamais se possa submeter a razão à autoridade". In: *Correspondance Générale de Jean-Jacques*. Paris: Librairie Armand Colin, 1924. Org. Théophile Dufour, vol. II, p. 321.

A intolerância religiosa e a civil partem de pontos diferentes, mas seu objetivo é o mesmo. Nos dois casos, o que não aceito é o outro que se diferencia de mim, seja por suas crenças, seja por suas ideias políticas, e a quem procuro submeter e amoldar às minhas convicções, por julgar as únicas verdadeiras. Essa convergência entre esses dois tipos de *intolerância* já tinha sido apontada por Diderot no seu verbete *Intolerância* para a *Enciclopédia*, onde o intolerante é definido como um "mau homem, um mau cristão, um sujeito perigoso, um mau político e mau cidadão".

218. A correspondência entre Rousseau e seu editor demonstra sua preocupação em relação à sua nota de rodapé sobre o casamento dos protestantes, e sua mudança de postura em relação à conveniência ou não de sua publicação, propondo retirada da mesma (se possível) do texto já pronto, enquanto redigia uma segunda versão para essa nota, que também teria a sua supressão sugerida por seu autor, embora tenha sido publicada em alguns exemplares do *Du Contrat Social*, enquanto que a primeira é a que se encontra no *Manuscrito de Genebra*.

Essa discussão sobre o casamento dos protestantes insere-se dentro das questões da intolerância e da religião civil, e da relação entre esses dois temas, como bem demonstra este capítulo. Além disso, a questão tinha um panorama histórico, quanto às relações entre a Igreja Reformada e a Igreja de Roma, principalmente na França. Em 13/04/1598, Henrique IV promulgou o Edito de Nantes, para regulamentar a situação legal da Igreja Reformada nesse país, permitindo aos calvinistas praticarem livremente seus cultos onde já existissem, reconhecendo-os do ponto de vista político como um corpo organizado, com garantias jurídicas, políticas e militares. No entanto, em 18/10/1685, Luís XIV assinou a revogação desse Edito e de todas as suas disposições, gerando com esse ato uma grande emigração para a Suíça. Essas disposições foram reforçadas ainda mais severamente com relação aos protestantes, em 14/05/1724, prescrevendo que os seus casamentos e os batizados dos seus filhos fossem feitos por padres católicos, e proibindo sua realização fora do território francês. Essa situação só seria abrandada com o Edito da tolerância de 1788.

219. Rousseau refere-se à abjuração de Henrique IV em 1593. Afirma-se que esse rei promoveu uma reunião – melhor dizendo, um "colóquio religioso" – para saber se sua alma teria mais chances de salvação na religião protestante ou na católica. Como um dos teólogos da primeira disse acreditar que a salvação era possível em ambas as religiões, Henrique IV, de forma sábia, afirmou que ficava com a segunda, uma vez que para esta só havia salvação da alma para os seus fiéis...

220. O *Contrato Social* discutiu o funcionamento do Estado, não as suas relações com outros Estados, já que esse direito das gentes (o comércio, a guerra e o direito público internacional) eram o objetivo da segunda parte da *Institutions Politiques*, que, como sabemos, foi um projeto abandonado por Rousseau.

Vozes de Bolso

- *Assim falava Zaratustra* – Friedrich Nietzsche
- *O príncipe* – Nicolau Maquiavel
- *Confissões* – Santo Agostinho
- *Brasil: nunca mais* – Mitra Arquidiocesana de São Paulo
- *A arte da guerra* – Sun Tzu
- *O conceito de angústia* – Søren Aabye Kierkegaard
- *Manifesto do Partido Comunista* – Friedrich Engels e Karl Marx
- *Imitação de Cristo* – Tomás de Kempis
- *O homem à procura de si mesmo* – Rollo May
- *O existencialismo é um humanismo* – Jean-Paul Sartre
- *Além do bem e do mal* – Friedrich Nietzsche
- *O abolicionismo* – Joaquim Nabuco
- *Filoteia* – São Francisco de Sales
- *Jesus Cristo Libertador* – Leonardo Boff
- *A Cidade de Deus* – Parte I – Santo Agostinho
- *A Cidade de Deus* – Parte II – Santo Agostinho
- *O conceito de ironia constantemente referido a Sócrates* – Søren Aabye Kierkegaard
- *Tratado sobre a clemência* – Sêneca
- *O ente e a essência* – Tomás de Aquino
- *Sobre a potencialidade da alma* – De quantitate animae – Santo Agostinho
- *Sobre a vida feliz* – Santo Agostinho
- *Contra os acadêmicos* – Santo Agostinho
- *A Cidade do Sol* – Tommaso Campanella
- *Crepúsculo dos ídolos ou Como se filosofa com o martelo* – Friedrich Nietzsche
- *A essência da filosofia* – Wilhelm Dilthey
- *Elogio da loucura* – Erasmo de Roterdã
- *Linguagem corporal em 30 minutos* – Monika Matschnig
- *Utopia* – Thomas Morus
- *Do contrato social* – Jean-Jacques Rousseau
- *Discurso sobre a economia política* – Jean-Jacques Rousseau
- *Vontade de potência* – Friedrich Nietzsche
- *A genealogia da moral* – Friedrich Nietzsche
- *O banquete* – Platão
- *Os pensadores originários* – Anaximandro, Parmênides, Heráclito
- *A arte de ter razão* – Arthur Schopenhauer
- *Discurso sobre o método* – René Descartes
- *Que é isto – A filosofia?* – Martin Heidegger
- *Identidade e diferença* – Martin Heidegger
- *Sobre a mentira* – Santo Agostinho
- *Da arte da guerra* – Nicolau Maquiavel

Friedrich Nietzsche
Uma biografia
Volumes, I, II e III

Curt Paul Janz

O músico suíço Curt Paul Janz começou seu trabalho histórico e crítico-filológico com os manuscritos de Nietzsche no Nietzsche-Archiv de Weimar, em 1959. Pouco antes desse período, Richard Blunck havia projetado e dado início ao que considerava como a primeira biografia científica completa de Nietzsche. Depois da morte de Blunck, ocorrida em 1962, Curt Paul Janz assumiu o projeto e deu-lhe acabamento. O resultado veio a público em 1978, em Munique, com a primeira edição do hoje já clássico: *Nietzsche: biographie*, em 3 volumes.

A presente biografia de Friedrich Nietzsche, de autoria de Curt Paul Janz, é uma das mais completas até hoje empreendidas. Ela segue um plano de composição que harmoniza extensão e profundidade, profusão de informações interessantes e rigor da análise hermenêutica. Condensa o essencial da vida e da obra de Nietzsche e contribui notavelmente para sua compreensão. Pela relevância dessa contribuição, ela interessará não apenas a filósofos, mas a todos aqueles que verdadeiramente se interessam pelos laços que interligam as formações sociais, as ciências e as artes.

O primeiro volume é composto com base no minucioso trabalho historiográfico de Richard Blunck, tendo por objeto a primeira infância e juventude do filósofo.

A partir do segundo volume o leitor acompanha, em sequência cronológica, com notável riqueza de detalhes historiográficos, os caminhos ao longo dos quais se forma a obra de Nietzsche, par e passo com os encontros e desencontros pessoais de seu autor, suas exaltações e depressões, sucessos e fracassos, amores e ódios.

O terceiro volume é quase todo ocupado pela circunstância da descrição dos meandros da doença até o colapso mental em Turim, que privou o filósofo da razão até sua morte. Ao final desse volume, o leitor irá encontrar um índice analítico que contempla todas as remissões feitas ao longo dos três volumes.